4 SEGUNDOS

Peter Bregman

4 segundos

**Es todo el tiempo que necesitas para frenar
los malos hábitos y obtener los resultados
que deseas**

 Empresa Activa

Argentina – Chile – Colombia – España
Estados Unidos – México – Perú – Uruguay – Venezuela

Título original: *Four Seconds – All the Time You Need to Stop Counter-Productive Habits and Get the Results You Want*
Editor original: HarperOne – An Imprint of HarperCollinsPublishers, New York
Traducción: Alfonso Barguño Viana

1.ª edición Octubre 2015

ISBN: 978-84-92921-31-7
E-ISBN: 978-84-9944-902-9
Depósito legal: B-18.162-2015

Fotocomposición: Ediciones Urano, S.A.U.
Impreso por: Romanyà-Valls, S.A. – Verdaguer, 1 – 08786 Capellades (Barcelona)

Impreso en España – *Printed in Spain*

Para mamá y papá

Gracias por amarme,
por creer en mí
y por apoyarme.
Os quiero.

Índice

Introducción   13

Primera parte: Cambia tus automatismos mentales   21

  1 Cuatro segundos: *Cálmate. Respira.*
     Sigue el camino correcto   25

  2 Por qué estallaba el Pinto: *Piensa dos veces*
     las metas que te fijas   29

  3 El auténtico problema de Byron: *Sigue adelante*   34

  4 Mi primera conferencia en TEDx:
     No quieras ser perfecto   37

  5 Al final, fue mío: *Primero, confía en ti mismo*   41

  6 Nada ayudó a mi codo de tenista:
     Mantente a distancia y no hagas nada   45

  7 Todo es increíble y nadie está contento:
     Acepta la realidad. Cambia las expectativas.   49

  8 El valor de beber té: *Dedica tiempo a los rituales*   53

  9 Antes de meter el kayak en el agua: *Prepara cada día*   56

 10 Una lección del rúter: *Reiníciate*   59

 11 Esto es lo que se siente cuando…: *Deja de rendir.*
     Empieza a vivir   62

12 «No tengo tiempo para pensar»:
    Invierte en concentración desconcentrada. 66

13 Cuando devolví mi iPad: *Abraza el aburrimiento* 70

14 La clase de primer curso de Dorit:
    Ignora a tu crítico interior 74

15 El doble revés de Carlos: *Recupera tu punto fuerte*. 79

16 Los rápidos de House Rock: *Imagina lo peor* 83

17 Ponte proa al viento: *Piensa en un proceso,
    no en una solución* 87

Segunda parte: Fortalece tus relaciones 91

18 Una lección de mi suegra:
    Prioriza las relaciones personales 97

19 Lo difícil empieza después de la conferencia:
    Muestra a los demás cómo eres realmente. 101

20 La dejó con un mensaje de texto:
    No dejes que el envoltorio te distraiga del mensaje 105

21 Cuando tenga setenta y siete, quiero ser como tú:
    Déjate inspirar por los demás 109

22 Una lección de mi madre: *No des a nadie por perdido* 113

23 La inevitable multa de tráfico: *Evita discutir*. 117

24 No le eches la culpa al perro: *Carga tú con la culpa* 121

25 Las ferreterías no venden leche:
    Conoce las reglas de los demás 126

26 El primer día de Sophia con nieve fresca:
    Conoce a las personas en el lugar en el que viven 130

27 Fue un pase largo: *Conviértete en un gran receptor* 133

28 Una salida en falso te descalifica:
    Primero, muestra empatía. Luego, hazle sentir bien 137

29 No se trata del champú: *Escucha lo que no se dice* 141

30 El mejor cumpleaños de mi vida:
    Haz el regalo del reconocimiento 145

31 Un asiento gratis de primera clase:
    Recurre a la generosidad de la gente 149

32 Por qué no ascendieron a Tim: *No dejes de decir gracias* ..153

33 No: *Pon límites a los demás* 157

34 Remolcando el coche del hijo del vecino:
    Haz preguntas. No contraataques. 161

Tercera parte: Optimiza tus hábitos laborales 167

35 Liderazgo de peluquería: *Mantén la calma* 172

36 George Washington contra la Super Bowl I:
    Trata a los individuos individualmente 176

37 Quejarse con quejicas: *Neutraliza la negatividad* 180

38 Había que quitar las ruedas de apoyo:
    Deja que fracasen, o casi 185

39 ¿Listo para ser un líder?: *Promueve
    el éxito de los demás.* 188

40 ¿De quién es el mérito de una gran película?:
    Comparte la gloria 191

41 El chef que no lo entendía:
    Responsabilízate del trabajo de tus compañeros 195

42 Tengo demasiadas cosas por hacer:
    Ofrécete a hacer el trabajo de los demás. 199

43 El día en que los centros de distribución estaban llenos:
    Céntrate en el resultado, no en el proceso. 203

44 No apuestes que ganarás la lotería:
    Céntrate en lo importante para la empresa 208

45 Ron no para de hablar:
    No seas agradable: sé útil 212

46 «De hecho, hay algo que...»:
    Acepta el regalo de la crítica 216

47 Llorar por un regalo: *Crea un espacio de seguridad
    para ti y para los demás* 221

48 No me pierdo nada: *Deja de mirar el correo electrónico* . 225

49 La regla del No-PowerPoint:
    Apuesta por las reuniones informales 229

50 Odian los guisantes, pero se los comen
    como si les encantaran: *Cuenta historias
    para que los demás cambien.* 233

51 Cómo Jori perdió dieciséis kilos:
    *Olvídate de la fuerza de voluntad.
    Reestructura tu entorno* 237

Conclusión 241

Agradecimientos 247

Notas 251

INTRODUCCIÓN

Estaba bajando por la calle Cuarenta y ocho, en el centro de Manhattan, cuando un hombre, vestido con un buen traje y unos zapatos relucientes, bien peinado y con un maletín de piel, me rozó al pasarme. Luego, le vi girar la cabeza y escupir un chicle.

Me fijé en el chicle para no pisarlo. Salió disparado más o menos a un metro frente a mí, rebotó contra un árbol y luego cayó rodando en la acera. Se detuvo justo debajo del siguiente paso que dio el hombre, que siguió caminando sin darse cuenta de que el brillante chicle azul se había pegado a la suela de su zapato.

Me reí en voz alta.

Y luego me puse a pensar. ¿Cuántas veces nos ocurre lo mismo? ¿Cuántas veces hacemos algo creyendo que es en nuestro beneficio, pero que al final se queda pegado a la suela de nuestro zapato, como un chicle? ¿Cuántas veces nos comportamos de una manera que es contraproducente?

A veces, es perfectamente obvio que nuestras acciones van en contra de los objetivos que buscamos, y por lo tanto es fácil evitarlas. Me explicaron la historia de una persona que tenía un alto cargo en un banco de Wall Street. Igual que el banco, se había endeudado sobremanera: había comprado un apartamento muy por encima de sus posibilidades. Cuando supo que no iba a recibir una prima tan cuantiosa como esperaba, arremetió contra su jefe, maldiciéndolo y denigrándolo enfrente de otros empleados del banco. Ahora se ha quedado sin prima y sin trabajo.

En otras ocasiones, la manera en que nos saboteamos a nosotros mismos es más sutil, como una vez que llegué tarde para cenar con mi mujer, Eleanor. Habíamos quedado en el restaurante a las siete, y ya eran las siete y media. Me sentía culpable, pero la reunión con una clienta se había alargado. Al llegar, me disculpé y le dije que no pretendía llegar tarde.

«Nunca *pretendes* llegar tarde», respondió. Caramba. Estaba enfadada.

«Lo siento, cariño», protesté, «pero era impostergable.» Le expliqué por qué había llegado tarde, dándole detalles sobre la reunión con la clienta, tal vez exagerando un poco para hacerle entender lo importante que era.

Pero, en lugar de calmarla, solo conseguí empeorar las cosas. Ahora estaba enfadada y ofendida.

Lo cual, a su vez, provocó que *yo* me enfadara y quisiera reafirmarme. «Mira», continué, «estoy esforzándome mucho en el trabajo.»

La conversación fue degenerando a medida que reaccionábamos a las respuestas del otro. En realidad, queríamos lo mismo: disfrutar de una cena agradable juntos. Pero nuestras respuestas espontáneas solo provocaron que nos enfrentáramos más, que nos sintiéramos más separados y que nos enfadáramos más. Precisamente, lo contrario de lo que pretendíamos.

La causa: las reacciones contraproducentes y viscerales.

Al llegar tarde, mi reacción visceral fue darle una explicación. La reacción visceral de Eleanor a mi explicación fue la impaciencia. Mi reacción visceral a su impaciencia fue el enfado. Y la discusión fue subiendo de tono porque seguíamos un guión instintivo y mecánico, por muy ineficaz que fuera.

Lógicamente, yo no *pretendía* ponerme a discutir con Eleanor. De hecho, si le di una explicación por mi retraso era para que *no* nos peleáramos. Pero, a fin de cuentas, mi buena intención no iba a arreglar las cosas. Lo importante era que mi acción —explicar por qué me había retrasado— había afectado a Eleanor. Y era evidente que no le había ayudado mucho. Básicamente, había escupido el chicle y acababa de pisarlo.

Cuando las buenas personas tienen malos hábitos

Los objetivos básicos que todos queremos —relaciones satisfactorias, logros de los que enorgullecernos, éxito en el trabajo, ayudar a los demás, tener la mente en paz— son sorprendentemente fáciles de conseguir. Pero, en muchos casos, nuestros mejores esfuerzos para conseguirlos se fundamentan en hábitos y conductas que, dicho en pocas palabras, no funcionan.

Cuando nos sentimos agobiados y estresados por una lista de tareas cada vez más larga, nuestra reacción visceral es trabajar más horas y cargarlas con más trabajo. Hacemos varias tareas a la vez, volamos de una reunión a otra, enviamos correos electrónicos por debajo de la mesa de reuniones y nos levantamos más pronto y nos acostamos más tarde para trabajar más. Nuestra intención es reducir el estrés y la sobrecarga de trabajo. Pero nuestras acciones tienen, precisamente, el efecto contrario: acabamos más estresados y con más trabajo.

O tal vez decimos algo que creemos que impresionará positivamente a la otra persona, pero, en realidad, lo que provocamos es rechazo. O queremos ayudar a una amiga, pero, de alguna forma, le hacemos sentir peor. Damos una arenga a los miembros de nuestro equipo, pero, sin saber por qué, los desanimamos.

Y siempre nos quedamos perplejos. *¿Qué ha pasado?*, nos preguntamos. La consecuencia es que luego nos pasamos días intentando reparar el daño de estas reacciones viscerales que no han tenido el efecto deseado. Malgastamos infinitas horas y mucha energía pensando en lo que hemos dicho, hablando con los demás sobre cómo lidiamos con una situación, planeando nuestro próximo movimiento, y tal vez incluso dando un rodeo hasta el baño para no cruzarnos con alguien que, sin querer, hemos ofendido en el pasillo.

Cuatro segundos para mejorar nuestros hábitos

Pero tengo buenas noticias: no es difícil solucionar este problema. De hecho, todo lo que necesitas son cuatro segundos. Cuatro segundos es el tiempo que se requiere para respirar hondo. Esta breve pausa es todo lo que necesitas para darte cuenta de dónde te estás equivocando y cambiar de dirección un poco.

Y realmente quiero decir un poco. Las alternativas que voy a sugerirte en las siguientes páginas son increíblemente fáciles. Te proporcionarán los resultados que quieres y no deberás marear la perdiz incansablemente. Son formas de pensar, de hablar y de actuar —formas de ser— más sencillas que los comportamientos que has aplicado hasta ahora y mucho más eficaces. Requieren menos tiempo y energía. Te ayudan a ser hiperproductivo sin tener que ser híper.

En mi anterior libro, *18 minutos: Encuentre su foco, controle las distracciones y consiga hacer lo realmente importante*, proponía una forma de concentrarse mejor y organizar el día alrededor de lo más importante. Te pedía que fueras estratégico y consciente de *lo que* hacías.

En *4 segundos*, te enseñaré a ser estratégico y consciente —a la velocidad de la luz— de *cómo* haces las cosas. *18 minutos* te ayudaba a concentrarte en los objetivos importantes. *4 segundos* te ayudará a sacar el máximo partido de esta concentración.

Después de todo, no es suficiente con organizarte el tiempo de forma excelente: también tienes que utilizarlo de forma excelente. *Cómo* actúes *durante* estas horas determinará tu éxito: cómo organizas tu mente, cómo te relacionas con los demás, cómo hablas y actúas en el trabajo y con tu equipo. El propósito no es solo sobrevivir a una vida ajetreada, sino sacar el máximo partido de tus esfuerzos y relaciones personales.

Aprenderás a reemplazar reacciones viscerales, que hacen perder tiempo y energía, por nuevos hábitos y comportamientos que ahorran tiempo, recargan energías y son productivos. En este mundo que se mueve a pasos agigantados, aprenderás nuevas formas de vivir, trabajar y relacionarte que te darán paz y resultados.

Ha nacido un nuevo hábito

¿En qué podía haber cambiado mi actitud cuando llegué tarde para, en lugar de pelearnos, disfrutar del valioso tiempo que iba a pasar con mi mujer? Me podía haber tomado cuatro segundos —tiempo suficiente para respirar hondo, calmarme, cambiar de perspectiva—, resistir la tentación de explicar mi retraso y reconocer que Eleanor me había estado esperando:

«Discúlpame por haber llegado tarde. Me has estado esperando sentada aquí durante media hora y es algo frustrante. Y sé que no es la primera vez. Me doy cuenta de que parece que estar con un cliente me da derecho a llegar tarde. Esto es una falta de respeto a tu tiempo y siento mucho haberte hecho esperar tanto rato».

Es más fácil decir esto que hacerlo. Mi reacción visceral, intuitiva, refleja, es justificar mi retraso en lugar de reconocer los sentimientos de mi mujer. *Me* hace sentir mejor, puesto que no es mi culpa haber llegado tarde: existe una razón específica. Pero la respuesta intuitiva es contraproducente. Aunque a mí me hace sentir mejor, a Eleanor —que ha estado esperándome— le hace sentir peor. Refuerza la sensación de que fuera lo que fuese lo que me hizo llegar tarde era claramente más importante que ella. Y así, sin ni siquiera darme cuenta, nuestra agradable cena se había ido al garete.

Por otro lado, pensar en cómo mi retraso ha afectado a Eleanor y prescindir de explicaciones, aunque no siga una cadena lógica, le hace sentir mejor. La razón es que le demuestro que pienso en ella. Y admito que no hay ninguna buena explicación para hacerla esperar. Así, salvo nuestra agradable cena.

Y ha nacido un nuevo hábito. Cuando llego tarde, mi reacción visceral sigue siendo esgrimir una disculpa, pero no justifico por qué he llegado tarde ni doy una excusa. En lugar de esto, me hago cargo de que la otra persona me ha estado esperando.

Hay, además, otra ventaja con este nuevo hábito: ya no llego tarde tan frecuentemente. Explicarle a Eleanor cómo le afecta mi retraso me hizo cambiar de forma más general. Quiero valorar su tiempo o el de cualquier otra persona. Y no quiero que se sientan frustrados. De alguna forma, reconocer y admitir a Eleanor cómo mi comportamiento *le* afectaba me hizo considerar mi comportamiento de manera diferente. En otras palabras, mi nueva respuesta automática cuando llego tarde no solo ha mejorado mi relación con Eleanor, sino que también ha mejorado mi comportamiento en general.

Este es el poder de un hábito productivo.

Pero modificar nuestros hábitos no es algo fácil. Nuestras respuestas intuitivas son, por definición, intuitivas. Son hábitos que consideramos naturales y que son difíciles de cambiar. Incluso si no funcionan, confiamos en ellos, porque es lo que conocemos. Cuando tenemos que hacer frente a una situación, es nuestra forma de reaccionar. Conocer una respuesta automática nueva y efectiva es haber ganado media batalla. La otra media es utilizarla en un momento de estrés. He escrito *4 segundos* para ayudarte en ambos procesos.

En la Primera parte, «Cambia tus automatismos mentales», aprenderás a retomar el control sobre tu comportamiento y tus acciones —a corto y largo plazo— para que sirvan a tus intereses, te lleven hacia tus objetivos y te hagan feliz. Aprenderás a controlar tus impulsos y tentaciones. Te volverás más calmado y tranquilo. Los consejos de la Primera parte te ayudarán a que tengas los pies en la tierra.

En la Segunda parte, «Fortalece tus relaciones», mejorarás tu capacidad para gestionar emociones difíciles —las tuyas y las de otros— y te convertirás en un experto en reaccionar y responder productivamente en situaciones y conversaciones difíciles. Los consejos de la Segunda parte te ayudarán a relacionarte mejor con aquellos que te rodean.

En la Tercera parte, «Optimiza tus hábitos laborales», aprenderás a trabajar —y liderar— de una manera que inspire motivación, lealtad y compromiso a quienes te rodean. Evitarás cualquier tendencia que aliene a tus compañeros o que incite enfrentamiento. En lugar de esto, alentarás la motivación, el positivismo y la colaboración. Los consejos de la Tercera parte te ayudarán a liderar con valentía y responsabilidad, y obtendrás resultados.

Albergo la esperanza de que *4 segundos* te ayude a superar todos aquellos comportamientos y hábitos perjudiciales. Aunque tal vez no desaparezcan completamente tus impulsos contraproducentes, espero que los consejos de estas páginas te ayuden a controlarlos y a desarrollar nuevos hábitos que favorezcan los objetivos que realmente quieres, para que tengas los resultados que buscas. La cantidad de tiempo que ahorrarás tomando las decisiones correctas es inconmensurable. El impacto positivo —en tu vida, en tus relaciones personales y en tu trabajo— será inestimable.

Solo puedo suponer que el tipo con el chicle en la suela del zapato aún no se ha dado cuenta. Probablemente, todavía esté dejando una estela pegajosa y azul a su paso. Pero tú no tienes por qué.

PRIMERA PARTE

Cambia tus automatismos mentales

Νo me resultaba fácil sentarme a escribir. Los obstáculos no eran físicos: yo era perfectamente *capaz* de sentarme a escribir. Los obstáculos —como la mayoría de los obstáculos que nos impiden lograr aquello que nos importa— eran mentales.

Estaba agobiado, pendiente de hacer un montón de cosas urgentes, de modo que sentarme a escribir casi me parecía dejarme llevar por la indulgencia. El desafío de la escritura siempre tiende a posponerse, incluso cuando se tienen las mejores condiciones, y aquella mañana yo iba de un lado a otro y estaba estresado por el problema de un cliente, dos circunstancias que no se compaginan bien con la disposición pausada y reflexiva que exige la escritura.

Pero, contra todo pronóstico, allí estaba finalmente tratando de concentrarme para escribir.

Acababa de teclear la primera frase cuando la puerta se abrió de golpe y mi hija Sophia, que tenía siete años entonces, entró a toda prisa.

«¡La cocina está inundada!», gritó. «¡Socorro!»

¿En serio? Al parecer, Daniel, su hermano de cinco años, se había olvidado de cerrar el grifo después de llenar un vaso de agua. Vaya.

Mi reacción visceral consistía en soltar cuatro gritos a Daniel y Sophia. Empecé a sentir una oleada de ira y cómo se me tensaban los músculos. En aquel momento, soltarles cuatro gritos parecía justificado y apropiado.

Pero me calmé un momento. Respiré hondo. Cuatro segundos.

Eso fue lo más difícil que hice en todo el día. En principio, respirar es fácil. Pero ¿calmarse unos segundos para respirar cuando estás en medio de un huracán de emociones? ¿Justo cuando te sientes frustrado, enfadado, cansado y preocupado? No, eso no es tan fácil.

Tomarse aquellos cuatro segundos —y tener la claridad mental para hacerlo— es el primer paso para sabotear nuestras reacciones viscerales: el primer paso para tomar la decisión inteligente que necesitamos en aquel momento.

En la primera parte, aprenderás a calmarte —a crear un espacio entre lo que sientes y lo que haces— y a tomar decisiones inteligentes y rápidas que te ayuden a lograr los resultados que quieres. Los siguientes capítulos te mostrarán cómo encontrar este espacio, reforzarlo y ser consciente de qué es lo que ocurre allí. Pero lo más importante es que te ayudarán a descartar los hábitos mentales contraproducentes que obstaculizan tu camino y sustituirlos por otros que sean productivos. Descubrirás cosas como:

- por qué sucumbir a la tentación es esencial para superarla;
- por qué fijarse metas puede mermar tu rendimiento;
- por qué *des*involucrarte estratégicamente puede ayudarte a recuperar la concentración y la fuerza de voluntad;
- por qué no hacer absolutamente nada puede resolver los problemas más difíciles, y
- por qué gran parte de nuestro estrés lo causan sucesos de consecuencias mínimas y por qué cambiar las expectativas —la realidad no externa— es la clave del éxito.

Espero que los consejos de los siguientes capítulos te ayuden a controlar los impulsos y las tentaciones, y que puedas adoptar hábitos mentales que te proporcionen una vida más productiva, calmada y sosegada.

1 Cuatro segundos

Cálmate. Respira.
Sigue el camino correcto

Aquella mañana, como todas las demás, me senté cruzando las piernas sobre un cojín que puse en el suelo, posé las manos sobre las rodillas, cerré los ojos y durante veinte minutos no hice más que respirar.

Muchos dicen que lo más difícil de la meditación es encontrar tiempo para meditar, y no les falta razón. ¿Quién tiene tiempo hoy en día para no hacer nada? Es difícil justificarlo.

La meditación nos proporciona muchos beneficios: nos revitaliza, nos ayuda a estar presentes en lo que hacemos, nos hace más sabios y más amables, nos ayuda a gestionar un mundo que nos sobrecarga de información y comunicación, y muchas cosas más. Pero si todavía buscas un argumento de índole económica para dedicar tiempo a la meditación, apúntate este: la meditación te hace más productivo.

¿Cómo? Ayudándote a aumentar la capacidad para resistir las tentativas de distracción.

Las investigaciones han demostrado que la capacidad para resistirse a las distracciones mejora las relaciones personales, aumenta la fiabilidad y mejora tu rendimiento.[1] Si puedes resistirte a ellas, tomarás decisiones más reflexivas. Serás más consciente de lo que dices y de cómo lo dices. Pensarás en las consecuencias de tus acciones antes de sufrirlas.

La capacidad de resistir un impulso determina el éxito para aprender un nuevo comportamiento o cambiar un viejo hábito. Seguramente, es la habilidad singular más importante para nuestro desarrollo y crecimiento.

Y resulta que es una de las cosas que nos enseña la meditación. También es una de las más difíciles de aprender.

Cuando me senté a meditar esa mañana, relajándome cada vez un poco más con cada espiración, mis preocupaciones se fueron esfumando. Mi mente se quedó completamente vacía de todo lo que me preocupaba antes de empezar a meditar. Todo, excepto el ritmo de mi respiración. Mi cuerpo se sentía feliz y yo estaba en paz.

Durante unos cuatro segundos.

Es el tiempo necesario para respirar hondo. Y con la respiración, me inundaron los pensamientos. En un momento dado, me picó la cara y quise rascármela. Se me ocurrió un título genial para mi siguiente libro y quise escribirlo antes de olvidarlo. Como mínimo, pensé en cuatro llamadas de teléfono que quería hacer y en una conversación complicada que debía afrontar más tarde aquel mismo día. Me empecé a angustiar porque sabía que solo iba a tener unas pocas horas para escribir. ¿Qué estaba haciendo allí sentado? Quería abrir los ojos y mirar cuánto tiempo me quedaba. Oí a mis hijos pelearse en la habitación de al lado y quise intervenir.

He aquí el pensamiento clave: quería hacer todas estas cosas, pero no las hice. Cada vez que tenía uno de estos pensamientos, volvía a concentrarme en la respiración.

Porque si cuatro segundos es todo lo que se necesita para perder la concentración, es también todo lo que se necesita para recuperarla. Cuatro segundos —una respiración— es todo lo que necesitas para evitar las reacciones viscerales y contraproducentes. Y cuatro segundos es lo que necesitas para tomar una decisión más consciente y estratégica con la que sea más probable conseguir lo que quieres.

A veces, *no* llevar a cabo algo que *quieres hacer* es un problema, como no escribir una propuesta que has estado posponiendo o no tener esa conversación complicada que has estado evitando.

Pero, otras veces, el problema es que *sí* que llevas a cabo algo que *no quieres hacer*, como hablar en lugar de escuchar o utilizar tácticas en lugar de estar por encima de ellas.

La meditación nos enseña a resistirnos a estas acciones contraproducentes.

Más adelante, expondré que es más sencillo y más seguro crear un entorno que facilite tus metas que depender de la fuerza de voluntad, pero a veces es necesario confiar en el simple y ya conocido autocontrol.

Por ejemplo, el autocontrol es útil cuando un empleado ha cometido un error y tú quieres gritarle, aun sabiendo que es mejor —para él y para la moral del grupo— hacerle algunas preguntas y discutir la cuestión de forma civilizada y racional. O cuando quieres decir algo sin pensar en una reunión, aunque sabes que lo conveniente es escuchar. O cuando quieres comprar o vender acciones basándote en tus emociones, a pesar de que los principios básicos y las investigaciones apuntan a un comportamiento diferente. O cuando quieres mirar el correo electrónico cada tres minutos, en lugar de concentrarte en lo que estás haciendo en ese momento.

Cada vez que meditas te estarás demostrando que la tentación es solo una sugerencia. Tú tienes el control.

¿Significa esto que nunca debes prestar atención a las necesidades inmediatas? Claro que no. Las necesidades nos dan información valiosa. Tener hambre es un buen indicio de que debes comer. Pero también puede ser un indicio de que estás aburrido o de que estás lidiando con una tarea complicada. La meditación te ayuda a tener poder sobre las necesidades, de forma que puedas tomar decisiones conscientes sobre qué llevar a cabo y qué dejar pasar.

Así que ¿cómo hacerlo? Si estás empezando, procura que sea muy sencillo.

Siéntate con la espalda recta para que puedas respirar con comodidad —en una silla, o sobre un cojín en el suelo— y pon un temporizador con los minutos que quieras meditar. Cuando empiecen a correr los minutos, cierra los ojos, relájate y muévete solo para respirar, hasta que se acabe el tiempo. Concéntrate en la inspiración y en la espiración. Cada vez que tengas un pensamiento o una necesidad, sé consciente de ella y vuelve a concentrarte en la respiración.

Eso es todo. Sencillo, pero exigente. Pruébalo —hoy— durante cinco minutos. Y pruébalo también mañana.

¿Y si no tienes cinco minutos? Pues pruébalo cuatro segundos.

> Una pausa de cuatro segundos —el tiempo necesario para inspirar y espirar— puede ser suficiente para sustituir una mala decisión por otra más inteligente.

• • • •

2 Por qué estallaba el Pinto

Piensa dos veces las metas que te fijas

«¡Sophia, Daniel, Isabelle!», grité a mis tres hijos que estaban jugando en su habitación. «El autobús para ir al colegio llega en diez minutos. ¡A ver quién se cepilla los dientes y se planta en la puerta el primero!»

Se abalanzaron al baño, riendo. Dos minutos después, Daniel era el primero, con Sophia pisándole los talones, e Isabelle la tercera. Sonreí por esta victoria. Había logrado mi objetivo de que estuvieran en la puerta con los dientes cepillados en un tiempo récord.

¿Seguro?

Sí, estaban en la puerta a tiempo, de eso no había duda. Pero haberlo hecho en solo dos minutos significaba que no se habrían cepillado muy bien los dientes, seguro que no habrían utilizado el hilo dental y el baño habría quedado hecho un desastre.

Todos sabemos lo importante que es tener objetivos, ¿verdad? Y no cualquier objetivo, sino objetivos ambiciosos. Grandes Metas Audaces (o, como lo conocen los expertos en inglés, BHAG, Big Hairy Audacious Goals).

Tiene sentido: si no sabes con claridad hacia dónde te diriges, entonces nunca llegarás a ninguna parte. Y si no pones el listón alto, nunca podrás aprovechar todo tu potencial.

Fijarse metas es una cuestión de sentido común en el mundo de los negocios, y está sustentada por muchas investigaciones. Como aquel estudio que se hizo en la promoción de MBA de Harvard de 1979, del que tal vez hayas oído hablar: solo un 3% de los graduados escribieron sus objetivos de forma clara. Diez años después, este 3% ganaba más dinero que el resto de la clase junta. Convincente, ¿no?

Lo sería, si fuera verdad. Pero no lo es. Este estudio no existe. Es una simple leyenda urbana.

Es solo una historia engañosa más. Cuestionar la conveniencia de fijarse metas ambiciosas es como cuestionar los mismos fundamentos de la ciencia empresarial. Podríamos discutir qué metas fijar, o cómo fijarlas, pero ¿quién discutiría si se deben fijar metas?

Pues resulta que a mí me gustaría hacerlo.

No es que las metas, por sí mismas, sean negativas. Es solo que conllevan una serie de efectos secundarios que apuntan a que estaríamos mejor sin ellas.

Los autores de una investigación de la Escuela de Negocios de Harvard, «Goals Gone Wild» [Las metas se vuelven locas].[2] Compararon varios estudios relacionados con las metas y concluyeron que las ventajas de fijarse metas se han exagerado y los inconvenientes, el «perjuicio sistemático por fijarse metas», se ha pasado por alto.

Identificaron efectos secundarios evidentes que estaban relacionados con fijarse metas, entre ellos «una visión estrecha que ignora las cuestiones que no afectan a las metas, un aumento de las conductas poco éticas, una percepción del riesgo distorsionada, un perjuicio en la cultura organizativa y una reducción de la motivación intrínseca».

A continuación, dos ejemplos de metas que se van de las manos que los autores describen en su investigación:

- Sears fijó una meta de productividad para los empleados de sus talleres mecánicos según la cual se debían ingresar 147 dólares por cada hora de trabajo. ¿Logró motivar a sus empleados? Sin duda. Les motivó a cobrar de más en todas las sucursales del país.

- ¿Recuerdas el Ford Pinto? ¿Un coche que se incendiaba cuando otro coche chocaba con él por detrás? El modelo Pinto provocó cincuenta y tres muertes y muchos heridos más porque los trabajadores omitieron las comprobaciones de seguridad para lograr la meta BHAG de Lee Iacocca de producir un coche que estuviera «por debajo de las 2.000 libras y los 2.000 dólares» en 1970.

Y aquí tenemos otro ejemplo que publicó el *New York Times*.[3]

- A Ken O'Brien, pasador de los New York Jets, le interceptaban demasiados pases. Así que le impusieron lo que parecía una meta bastante razonable para que no le interceptaran tantos pases: le penalizaron económicamente por cada pase malo. Funcionó. Le interceptaron menos pases, pero solo porque pasaba menos. Su rendimiento general disminuyó.

Es prácticamente imposible predecir los efectos negativos de fijarse una meta.

Nos han enseñado a que cuando nos fijamos metas tienen que ser específicas, cuantificables y ligadas a un plazo. No obstante, resulta que son precisamente estas características las que pueden sabotear nuestras metas. Una meta específica, cuantificable y ligada a un plazo provoca una conducta demasiado focalizada que en muchas ocasiones conlleva miopía o hacer trampas. Sí, a menudo alcanzamos la meta. Pero ¿a qué precio?

Entonces, ¿qué podemos hacer cuando no hay metas? A menudo, sigue siendo necesario tener en mente algunos objetivos, sobre todo en los negocios. Necesitamos ayuda para establecer una dirección y cuantificar los progresos. Pero tal vez haya una manera mejor de lograr estos objetivos al tiempo que se eluden los efectos secundarios y negativos de las metas.

Yo tengo una propuesta: en lugar de identificar metas, piensa en identificar áreas en las que puedes concentrar tus esfuerzos.

Una meta es un resultado que quieres conseguir; concentrarse en un área determina las actividades a las que vas a dedicar tu tiempo. Una meta es una consecuencia; concentrarse en un área es un camino. Una meta apunta hacia un futuro que quieres alcanzar; concentrarse en un área te obliga a centrarte en el presente.

Una meta en ventas, por ejemplo, puede tener como objetivo unos ingresos determinados o la adquisición de un número específico de nuevos clientes. Una meta operativa tal vez busque ahorrar en costes.

Por otro lado, concentrarse en un área de ventas puede significar entablar un montón de conversaciones con unas perspectivas determinadas. Concentrarse en un área operativa puede identificar zonas que quieres investigar para ahorrar en costes.

Claro que no se excluyen mutuamente. Podrías tener una meta y concentrarte además en un área. De hecho, se podría argumentar que estas dos formas de organizarse son necesarias: la meta específica adónde vas, y concentrarte en un área es planificar el camino para llegar a ella.

Pero hay una ventaja en concentrarse en un área sin tener meta alguna.

Concentrarte en un área explota tu motivación intrínseca, evita cualquier estímulo o incentivo para hacer trampas o tomar riesgos innecesarios, deja abiertas todas las posibilidades u oportunidades positivas y alienta la colaboración al tiempo que reduce la competencia dañina. Y, mientras tanto, sigues avanzando en aquello que tú y tu empresa valoráis por encima de todo.

En otras palabras, concentrarse en un área tiene todas las ventajas de fijarse metas y evita todos los efectos secundarios negativos.

¿Cómo puedes hacerlo? Fácil: identifica las cosas a las que quieres dedicarles tiempo —o las que tú y tu director creéis que es más importante dedicarles tiempo— y ponte manos a la obra. El resto llegará por sí solo. He descubierto que concentrarse en cinco grandes áreas es el límite para sacar el máximo provecho de tus esfuerzos.

La clave es resistirse a la tentación de determinar el resultado que quieres obtener. Deja esta puerta abierta y déjate sorprender. No estoy diciendo que esto sea fácil de hacer. Nunca había sido consciente de cuánto me concentraba en las metas hasta que traté de no concentrarme en las metas. Sin ponerme metas, me parecía difícil llegar a hacer nada.

Pero hice cosas. Y, según mi experiencia, no solo lograrás, como mínimo, tanto como lo que lograrías si te fijaras metas, sino que disfrutarás mucho más el proceso porque evitarás tentaciones y agobios innecesarios.

En otras palabras, si nos concentramos en las tareas en lugar de en las metas, mis hijos estarán en la puerta a tiempo, pero además se habrán pasado el hilo dental, se habrán cepillado los dientes a conciencia y habrán dejado el baño como una patena.

> **Fijarse metas no siempre es un hábito beneficioso. Identifica y dedica tiempo a las áreas en las que quieres concentrarte y llegarás a donde quieres ir de forma más efectiva.**

• • • •

3 El auténtico problema de Byron

Sigue adelante

«Peter», me escribió mi amigo Byron por correo electrónico hace unos días. «No me he cuidado mucho durante los últimos cinco años y quiero volver al gimnasio para ponerme en forma. Me he dado cuenta de que al buscar un equilibrio entre la mente, el cuerpo y el espíritu, he dejado de lado el cuerpo. Necesito solucionarlo, pero me cuesta MUCHO motivarme. ¿Algún consejo?»

Algo que deberías saber de Byron es que hace poco empezó su propio negocio y constantemente aumenta sus conocimientos con programas de formación que paga de su propio bolsillo. Así que no es que esté desmotivado en general, es solo que cree estar desmotivado para hacer ejercicio.

Pero se equivoca. «Tengo que arreglarlo», escribió. *Está* motivado para hacer ejercicio, si no, no me habría escrito un correo. Claramente, se preocupa por ponerse en forma y, cuando te preocupas por algo, significa que estás motivado.

El reto de Byron no es la motivación, no: es seguir adelante.

Es importante tener clara esta diferencia porque, mientras Byron piense que tiene que resolver un problema de motivación, no hallará la solución correcta. Tratará de entusiasmarse. Se recordará que estar en forma es muy importante. Tal vez imagine las parejas que podrá atraer si tiene mejor aspecto, o los años de vida que ganará si conserva su salud.

Cada paso que dé para motivarse solo aumentará su estrés y su culpa, la distancia entre la motivación y la conclusión se irá agrandando, entre lo mucho que quiere hacer ejercicio y lo poco que lo logra. Tenemos la idea equivocada de que, si nos preocupamos suficientemente, haremos algo al respecto. Pero no es cierto.

La motivación está en la mente, es conceptual; seguir adelante es una cuestión práctica. De hecho, la solución a un problema de motivación es exactamente lo contrario de la solución a un problema de persistencia. La mente es esencial para la motivación. Pero, para la persistencia, la mente es un obstáculo.

Todos hemos sentido cómo la mente sabotea nuestras aspiraciones. Decidimos ir al gimnasio después de trabajar, pero luego, cuando llega el momento de ir, pensamos: *Es tarde. Estoy cansado. Hoy no iré.* Decidimos que vamos a meditar, pero luego miramos la hora y decimos de nuevo: *Es tarde.* Decidimos que tenemos que apoyar más a nuestros empleados, pero luego, cuando uno de ellos comete un error, pensamos: *Si no le canto las cuarenta, lo volverá a hacer.* Decidimos que tenemos que hablar más en las reuniones, pero luego, cuando estamos sentados en la reunión, pensamos: *No sé si lo que voy a decir realmente aportará algo.*

He aquí la clave: si quieres persistir en algo, deja de pensar. Silencia la conversación saboteadora que tiene lugar en tu cabeza antes de que empiece. No muerdas el anzuelo. Deja de discutir contigo mismo. Toma una decisión muy específica sobre lo que quieres hacer y no la cuestiones. Con muy específica, me refiero a decisiones como esta: «Me pondré a hacer ejercicio mañana a las seis de la mañana», o «Meditaré un cuarto de hora tan pronto como me levante», o «Solo voy a resaltar las cosas que mis empleados hagan bien», o «En la próxima reunión al menos haré una intervención».

Luego, cuando la mente empiece a discutir contigo —y te garantizo que lo hará—, ignórala. Eres más listo que tu mente. Puedes ver más allá de ella.

Una vez, un profesional me dio una clase de golf en la que me enseñó una manera diferente de golpear la pelota. Después de la clase, me advirtió:

«Cuando juegues con otros, tal vez quieran darte algún consejo. Escúchales con educación, dales las gracias por el consejo y, luego, ignóralo por completo y haz exactamente lo que te he dicho».

Así, Byron, es justamente como deberías responder a tu mente.

> Si te cuesta completar una tarea o una actividad, la causa puede que sea la persistencia. Más que motivarte con una arenga interna, silencia tu mente: decide cómo vas a actuar en una tarea o acción específica y no permitas que se entrometan tus pensamientos.

● ● ● ●

4 Mi primera conferencia en TEDx

No quieras ser perfecto

«¡Oh!» Me cogí la cabeza con las manos, aparté la vista del ordenador y miré al techo. «¡No puedo hacerlo! ¡No me está saliendo bien!»

Eleanor me observó con compasión desde su escritorio contiguo al mío: sabía lo mucho que me estaba esforzando. Preparaba una conferencia para el TEDx que debía dar en Flint, Michigan, y aunque debía de llevar ya unas veinticinco versiones, aún no estaba satisfecho.

Me encanta el concepto de las conferencias TED: tienes dieciocho minutos para hablar de una idea que merezca la pena compartir. Un gran número de personas muy conocidas han dado conferencias fascinantes, y para mí era un honor que me invitaran. Pero también sentía una presión tremenda para que fuera una presentación excelente.

Me pidieron que me centrara en la cuestión del aprendizaje: algo bueno, porque es una cuestión de la que tengo muchas cosas que decir, pero también algo malo, precisamente, porque tengo muchas cosas que decir. Si hubiera dispuesto de ocho horas para hablar, podría haber improvisado. Pero ¿dieciocho minutos? ¿Cuál de mis ideas era suficientemente importante e interesante como para que la escogiera sobre las demás? Y, cuando la hubiera elegido, ¿cómo iba a presentarla para que fuera amena, divertida, inteligente y creativa? ¿Y todo en dieciocho minutos?

Para colmo, tres cámaras graban la intervención de los conferenciantes de TED, y el vídeo se cuelga en la Red. Esto es fantástico si la conferencia es buena. Pero ¿y si no lo es? ¿Y si es un desastre? No hay escapatoria. Quería que fuera perfecta. Así que me reservé un par de semanas para escribir y practicar la conferencia.

Con lo que he vivido, me digo, debería haber aprendido algo. Porque cuando trato de hacer algo perfecto, está prácticamente garantizado que voy a darle demasiadas vueltas, lo que significa que pasaré demasiado tiempo yendo de un lado para otro y avanzando muy poco. De aquí que ya tuviera veinticinco versiones.

En principio, darle muchas vueltas es parte del proceso cuando asumes un reto ambicioso. Pero rara vez nos ayuda, aumenta el estrés, exige una gran cantidad de tiempo y nunca redunda en un trabajo final mejor.

Me organicé el calendario para tener dos semanas de tiempo en las que centrarme en la conferencia: un gran error.

Puesto que se necesita mucho tiempo para elaborar algo creativo, es imposible hacerlo de golpe. Después de unas cuantas horas intensivas al día, mi productividad decaía sustancialmente.

Así que ¿qué sucedía con todas aquellas horas que me había reservado para escribir la conferencia? Era imposible dedicarlas completamente a *trabajar en* la conferencia. Pero, tal como iban las cosas, lo que sí hacía era emplear un gran número de ellas en *estresarme por* la conferencia.

¿Por qué no dediqué el tiempo a otras tareas importantes? No tiene sentido racional, pero, de alguna forma, pensé que sería reconocer que no trabajaba en lo que tenía que trabajar: escribir la conferencia. Así que, en lugar de aprovechar el tiempo dejándome los codos, me daba largos descansos y me distraía navegando por Internet o comiendo. Incomprensible, pero así era.

Los demás trataban de animarme diciéndome que no me preocupara, que tenía un talento natural y que la conferencia sería fantástica. Doy conferencias continuamente y solo tenía que hacer lo que hago siempre: ser yo mismo.

Pero lo único que hicieron aquellos consejos fue aumentar la presión porque me recordaban que todos esperaban que la conferencia fuera impresionante.

Entonces, ¿qué deberíamos hacer cuando estamos bajo presión para lograr un objetivo?

A mí, dos cosas me ayudaron mucho:

1. Me quedé sin tiempo.

Primero tenía dos semanas, después una, y luego solo tres días. Ahí fue cuando mi productividad llegó a su máximo. Existe un dicho: si quieres que se haga algo, pídeselo a alguien ocupado. Otra forma de decirlo: si quieres que se haga algo, conviértete en alguien ocupado. No vacíes tus horarios; llénalos. Cuanto más ocupado estés, menos tiempo tendrás para enredarte con ello. Debería haber reservado unas pocas horas cada día y dedicar el resto a tareas que consideraba importantes.

2. Cambié mis expectativas.

Una mañana, pocos días antes de la conferencia, encontré una nota de mi mujer en el ordenador. Me decía que tal vez la conferencia *no* acabara siendo tan genial, pero que, en general, la diferencia iba a ser mínima. Sin lugar a dudas, iba a ser buena. O, al menos, iba a ser aceptable, algo que, en última instancia, ya estaba bien. Cuando lo leí, cambié de perspectiva. Decidí no dejarme la piel. Ya no quise intentar ser divertido, inteligente, audaz o creativo. No quise hablar sobre las tres cosas más importantes. No quise que fuera la mejor conferencia que había dado nunca. En lugar de esto, me fijé una meta que podía lograr: hablar sobre una sola cuestión. No necesariamente *la* cuestión, solo una que fuera significativa para mí, y hablar de ella con sencillez y pasión.

La vida es un proceso y, aunque un momento estelar —ya sea un éxito o un fracaso— puede marcar la diferencia, es mucho más probable que la producción constante de varios momentos excelentes durante un periodo de tiempo prolongado marque una diferencia mucho mayor.

> Para no perder la cabeza cuando sientes la presión de un gran reto, deja de esforzarte tanto o de buscar la perfección. En lugar de esto, trata de superar la siguiente fase de trabajo tan rápido como puedas. Es posible que dedicándole menos tiempo lo hagas mejor.

● ● ● ●

5 Al final, fue mío

Primero, confía
en ti mismo

La semana pasada, acudí a un evento por la noche para honrar y promover el pensamiento del difunto doctor Allan Rosenfield, decano de la Escuela de Sanidad Pública de Columbia durante veintidós años. Allan era una eminencia en salud global y se dedicó principalmente a los derechos y la salud reproductiva de las mujeres.

La lista de conferenciantes era impresionante, pero a medida que pasaba la noche fui dejando de prestarles atención. Después, Hoosen (Jerry) Coovadia, profesor de la Universidad de KwaZulu-Natal, en Sudáfrica, se colocó frente al atril.

Miró al público y, sin fanfarria alguna, dejó de lado las palabras que tenía preparadas. «Ya se ha dicho casi todo lo que pensaba decir», empezó.

Luego, en lugar de leer lo que había escrito, estuvo hablando durante cinco minutos de forma improvisada sobre la inusual habilidad de Allan de «ver en la oscuridad» —de percibir injusticias que a los demás nos pasaban desapercibidas— y actuar para remediarlas.

De todas las intervenciones de aquella noche, sus palabras, sencillas, sin estar preparadas y verdaderamente sentidas, fueron las que más me impresionaron.

Jerry era un ejemplo de lo que decía de Allan: él también veía en la oscuridad. La velada no necesitaba otra intervención grandilocuente sobre el estado global de la sanidad. Jerry desechó todo lo que había preparado con esfuerzo para ofrecernos lo que necesitaba aquel momento. Su capacidad para darse cuenta, el ritmo y el provecho que supo sacarle, fue notable. Mostraba flexibilidad, presencia y concentración, pero también algo más profundo: mostraba confianza en sí mismo.

En el capítulo anterior, he descrito cómo pensé, preparé y elaboré una y otra vez mi primera conferencia en TEDx sobre el aprendizaje.

Cada vez que escribía una nueva versión se la enviaba a amigos de confianza —personas inteligentes, generosas y perspicaces— y les pedía consejos y mejoras. ¿Era lo bastante interesante? ¿Lo bastante claro? ¿Suficientemente creativo y divertido?

Pero cada vez que me enviaban sus respuestas, valiosas y reflexivas, me hallaba un poco más perdido y menos seguro de mi mensaje, de mis ideas y de mí mismo.

No es que me costara aceptar las críticas. Era justo lo contrario: aceptaba los cambios con demasiada rapidez, estaba deseando complacer a los demás y no ponía problemas a modificar lo que fuera con tal de que estuvieran contentos.

Muchas personas nos hemos pasado la vida haciendo caso de nuestros padres, profesores, directores y líderes. Escogiendo lo que nos dicen que escojamos y dejando que nos digan quiénes somos. Nos dejamos moldear según las reacciones de los otros, buscamos la aprobación y queremos el reconocimiento.

Existen muy buenas razones para confiar en el conocimiento de los demás, pero también comporta un coste: a medida que nos amoldamos a los deseos, preferencias y expectativas de los otros, corremos el riesgo de perdernos a nosotros mismos. Nos quedamos estancados sin su orientación, incapaces de tomar nuestras propias decisiones y dejamos de confiar en lo que sabemos.

Hay un remedio muy sencillo contra la inseguridad que comporta ser nosotros mismos: dejar de preguntar a los demás.

En lugar de esto, dedica un rato con calma a decidir qué piensas. Así es como encontramos la parte de nosotros mismos que hemos abandonado. Así es como nos hacemos más fuertes, inteligentes, creativos y profundos. Así conformamos nuestra propia visión de las cosas.

Después de preocuparme por las respuestas que me daban, después de que Eleanor sugiriera que me lo estaba tomando demasiado en serio, después de que agotara el tiempo que tenía para hacer cinco revisiones más... Finalmente, hice lo mismo que Jerry: dejé la conferencia a un lado y tomé decisiones estrictamente personales sobre qué es lo que quería compartir.

¿Cómo llegué a tomar estas decisiones? Repasé las miles de palabras que había escrito para preparar la conferencia en busca de una aportación personal y única a la cuestión del aprendizaje. Ahora me parece obvio porque ¿cómo esperaba hallar mi aportación personal preguntando a los demás? Así que me zambullí en la oscuridad para resaltar lo que a otros les había pasado desapercibido.

Confiar en uno mismo es importante no solo cuando escribes conferencias. También lo es cuando hablas en una conferencia. Cuando escoges proyectos que quieres realizar. Cuando decides qué presupuesto otorgarles. Se trata de tener la valentía de hacer el trabajo que te motiva. ¿Confías lo suficiente en ti como para seguir tus propios impulsos?

Cuando decidí dejar de preguntar a los demás qué pensaban de lo que yo pensaba, me di cuenta de algo interesante: me esfuerzo más cuando no dependo de los otros. Soluciono cosas que, de otra forma, dejaría que solucionaran otros. Trabajo con más seriedad para asegurarme de que mi perspectiva es sólida.

En el pasado, cuando enviaba un artículo a alguien para que me lo comentara, sabiendo que aún tenía que corregirlo a conciencia, me comportaba como un vago. Y mi indulgencia, que se sustentaba en la generosidad de los demás, tenía el efecto secundario de mermar mi fe en la capacidad que yo tenía para superar obstáculos.

No estoy diciendo que no tengamos en cuenta la opinión de los demás. Es útil saber cómo reaccionan a tu trabajo. Después de escribirla completamente, ensayé la conferencia varias veces frente a diferentes públicos.

Pero, esta vez, no les pedí que evaluaran mi mensaje. Les pedí que evaluaran mi actuación. ¿Qué habían comprendido de mi conferencia? ¿El mensaje mostraba la pasión que yo sentía por él?

Y, cuando al final di la conferencia en Flint, Michigan, esta fue clara, concreta y auténtica.

Fue mía.

> La próxima vez que te sientas inseguro por una tarea o un proyecto y quieras compartirlo para buscar aprobación, pregúntate primero qué es lo que piensas tú. Tómate un tiempo con calma para escucharte a ti mismo y confía en tu mente y en tu corazón. A menudo, es bueno no pensar en qué piensan los demás.

● ● ● ●

6   Nada ayudó a mi codo de tenista

Mantente a distancia y no hagas nada

Tuve una tendinitis en el codo durante más de un año. Incluso algo tan simple como girar el pomo de una puerta me hacía retorcerme de dolor. Fui a ver a mi hermano, Bertie, quien además es mi médico de cabecera.

Mientras me examinaba el codo, le recordé todo lo que había hecho para intentar curarme. Cuando empezó a dolerme, tomé ibuprofeno. Como no daba resultados, probamos con dos inyecciones de cortisona, con un intervalo de seis meses. Mientras tanto, hice una terapia muscular, probé los ultrasonidos, me puse una codera, realicé ejercicios diarios, me puse hielo, fui a un acupuntor y a un masajista. Incluso probé una terapia experimental con una inyección de plasma rico en plaquetas que había tenido cierta repercusión porque la utilizaban atletas de élite. El pinchazo fue terriblemente doloroso y no hizo más que empeorar las cosas.

«¡Nada ha servido de nada!», me quejé.

«Tengo una idea», dijo Bertie. «Algo que aún no hemos probado.»

«¿El qué?» Esperaba que no requiriera mucho tiempo ni que fuera muy caro.

«Lo acabas de decir tú mismo», contestó. «Nada.»

Me propuso que no siguiera tratamiento alguno durante los siguientes seis meses.

«Puede que todos estos intentos para curarte el codo solo lo estén empeorando», continuó. «Es muy probable que después de seis meses sin hacer nada, el dolor desaparezca.»

Yo era escéptico, pero, en fin, no tenía nada que perder. Y, en efecto, seis meses después el dolor se había esfumado.

En algunas situaciones, no hacer nada —para siempre— es la solución adecuada. No hacer nada me ayudó con la tendinitis. A veces, no tratar de solucionar algo es la manera de solucionarlo.

La estrategia es difícil de seguir porque tenemos tendencia a ser proactivos. Si hay un problema, nos sentimos mejor si lo abordamos de forma vehemente. Pero ten en cuenta que tal vez dedicamos mucho esfuerzo, tiempo y dinero a resolver problemas que, de hecho, no se solucionan con esfuerzo, tiempo o dinero.

En 2009, los estadounidenses gastaron alrededor de 3.600 millones de dólares en medicamentos sin receta para el resfriado, la tos y los dolores de garganta, según el *New York Times*.[4] Pero, tal como concluía el artículo, existen muy pocas pruebas de que estos medicamentos realmente curen, o acorten, los resfriados. Y algunos de estos remedios, como los antibióticos, incluso pueden tener efectos secundarios que empeoran el estado de algunos pacientes.

En otras palabras, la mejor forma de enfrentarse a un resfriado común es no hacer nada.

¿Funciona también esta estrategia en otros ámbitos, fuera de la medicina? Hoy en día se habla mucho de crear nuevas empresas a partir de subvenciones. ¿Realmente ayudan el dinero y los esfuerzos que se dedican a las subvenciones? Según un estudio realizado por la Fundación Kauffman,[5] la respuesta es no.

Los datos del Instituto Nacional de Estadística de Estados Unidos muestran que el índice de creación de nuevas empresas entre 1977 y 2005 varió solo un 3-6 por ciento. Según este estudio, «ninguno de los factores que pueden influir en las decisiones de los emprendedores para crear nuevas empresas —recesiones, expansiones, variaciones en los impuestos, crecimiento de la población, escaso o abundante capital, avances tecnológicos u otros— tiene mucho impacto en el ritmo con el que se crean empresas en Estados Unidos».

En otras palabras, la mejor estrategia para estimular la creación de nuevas empresas es no hacer nada.

¿Y respecto a las relaciones personales? Tiempo atrás me peleé con alguien cercano a mí. Intenté varias veces recuperar la relación —envié correos electrónicos, llamé por teléfono e incluso le envié un regalo—, pero nada de todo esto mejoró la situación. Al final tiré la toalla y di la relación por perdida. No hice nada durante un buen tiempo. Volví a ver a esta persona no hace mucho y, de alguna forma, tuve la sensación de que habíamos dejado atrás la pelea. Al menos, en gran parte. Nuestra relación no era la misma que antes, pero era mucho mejor que cuando tratábamos de arreglarla activamente.

No estoy sugiriendo que la solución consista siempre en no hacer nada. A menudo, es necesario afrontar algo de cara. Puede ser increíblemente efectivo poner sobre la mesa algo oculto y tratarlo de forma abierta. Soy un gran partidario de discutir todo aquello que está prohibido discutir, y he obtenido resultados impresionantes.

Pero ¿cuántas discusiones innecesarias se podían haber evitado obviando asuntos que no son importantes? Tal vez podríamos no mencionar el error de alguien. Tal vez podríamos haber perdonado sin esperar un acto de contrición. En otras palabras, a veces, la mejor estrategia para superar un problema personal es no hacer nada.

Entonces, ¿cómo sabemos cuándo hacer algo o no hacerlo?

«Cuando existen varios remedios para una enfermedad», escribió Anton Chéjov, «significa que la enfermedad es incurable.» Si la experiencia o los datos proponen varias soluciones pero ninguna es realmente efectiva, no hacer nada tal vez sea la mejor estrategia.

También, si has probado dos o tres soluciones y ninguna funciona, quizá sea el momento de no probar nada.

Ya hace bastantes años que dejó de dolerme el codo. Pero soy supersticioso y, francamente, me preocupa un poco que escribir esto —decir descaradamente que curé mi tendinitis no haciendo nada— hará que me empiece a doler de nuevo.

Espero que no ocurra. Pero si ocurre, al menos ahora ya sé qué debo hacer: nada.

> Resiste la tentación de querer arreglarlo todo. A veces, no hacer absolutamente nada es mejor que hacer algo.

● ● ● ●

7 Todo es increíble y nadie está contento

Acepta la realidad.
Cambia las expectativas.

Imagínate que estás navegando en las Bahamas, bebiendo un refresco y escuchando cómo el agua golpetea el casco del velero.

Relajante, ¿no? Pues no lo es para mi amigo Rob.

Rob no suele estresarse. Su trabajo diario pondría de los nervios a muchas personas: es un promotor inmobiliario cuya rutina es vérselas con un montón de problemas irritantes relacionados con inquilinos, bancos, demandas, gestión de la propiedad y tasaciones que varían de precio de la noche a la mañana. Pero Rob gestiona todo esto con calma y serenidad.

Así que ¿por qué estaba estresado ese día idílico en el barco? Por la misma razón por la que la mayoría de las personas nos estresamos: porque se han frustrado nuestras expectativas. Rob tenía que hacer una llamada importante y el móvil no funcionaba. Estaba sufriendo la distancia entre lo que esperaba que pasaría y lo que realmente estaba pasando.

Esta es la causa subyacente del estrés, y nos afecta mucho más en estos tiempos porque nuestras expectativas no paran de aumentar, en parte gracias a las innovaciones exponenciales en la tecnología.

En una entrevista hilarante con Conan O'Brien,[6] el humorista Louis C.K. decía que vivimos en un mundo increíble y, sin embargo, nadie está contento. Contaba la historia de que estaba en un avión y, por primera vez, pudo conectarse a Internet a nueve mil metros de altura. Se quedó estupefacto. Sentado a su lado, un tipo también navegaba por la Red felizmente hasta que se cortó la conexión. De inmediato, alzó los brazos y gritó: «¡Esto es una mierda!»

«Con qué rapidez el mundo le debe algo de cuya existencia solo le habían informado diez segundos antes», dijo Louis C. K. Yo suelo caer en la misma trampa, igual que la mayoría de las personas que me rodean. Siempre esperamos más no solo de la tecnología, sino de los demás y de nosotros mismos.

Rob nunca pierde la calma cuando se enfrenta a sus problemas habituales, precisamente, porque son habituales. Se los espera. Los inquilinos siempre se quejan, los bancos siempre quieren más información, las demandas son el pan de cada día y las tasaciones siempre cambian. Son problemas rutinarios y tiene respuestas rutinarias para ellos, de modo que no le sacan de quicio.

Pero aquel día, en su barco, Rob esperaba que su móvil funcionara. Así que quedarse sin móvil lejos de la costa, donde no hay medios alternativos para recibir una llamada importante, le creó una estresante expectativa insatisfecha.

¿Qué se puede hacer cuando te invade el estrés y la frustración que provoca una expectativa insatisfecha? Tienes dos opciones: o cambias la realidad que te rodea o cambias las expectativas.

A veces es posible cambiar la realidad. ¿Un empleado te decepciona continuamente? Intenta ayudarlo para que mejore su rendimiento. Si esto no funciona, puedes despedirlo.

Pero, a menudo, es difícil cambiar la realidad que te rodea. ¿Y si quien te está frustrando es un compañero de tu mismo nivel? ¿O quizás un departamento entero? No puedes despedirlos a todos. Tal vez puedas dejar de trabajar con ellos, pero probablemente no sea algo que dependa de ti. Podrías dimitir, pero esto también conlleva una buena dosis de estrés.

Según mi experiencia, intentar cambiar la realidad no suele *aliviar* el estrés, sino que suele *crearlo*. Una cuestión menor —como cambiarme de asiento en el avión— puede ser tan irritante que, aunque lo logre, no merece el esfuerzo. Y cuestiones mayores —como aumentar mi rendimiento— todavía pueden frustrarme más. Este último ejemplo es especialmente frustrante porque es una expectativa que tengo de mí mismo, así que realmente creo que depende de mí.

De modo que mi conclusión es que la mejor estrategia para reducir el estrés es cambiar las expectativas.

En pocas palabras: acostúmbrate a no lograr lo que quieres. Sé que esto no concuerda con la actitud de «A por ellos» que nos han enseñado a la mayoría de las personas. Pero, casi siempre, enfrentarse a la realidad no merece la pena. O no puedes cambiar lo que te rodea o el enfrentamiento es más estresante que la recompensa.

Si cambiar las expectativas es demasiado difícil, la segunda mejor táctica es tomar perspectiva.

Imagina una escala del uno al diez, siendo diez la peor realidad que puedes concebir, como vivir en zona de guerra o estar en el World Trade Center el 11 de septiembre de 2001. Tal vez nueve sea una enfermedad grave cuyo resultado más probable sea la muerte. Ocho podría ser algo que cambia tu vida para siempre, como ir a la cárcel o tener un accidente que te deje en una silla de ruedas. Digamos que siete es algo que temporalmente altera tu vida, como perder el trabajo o tener que mudarte porque ya no puedes pagar la casa en la que vives.

¿Empiezas a ver por dónde voy?

Casi todo lo que nos pone de los nervios se encuentra entre el uno y el dos de las expectativas frustradas. Es decir, los niveles de mal humor o estrés están provocados por situaciones que, de hecho, tienen muy poca importancia.

Es muy útil recordar esto cuando estás profundamente molesto porque la empresa de televisión por cable te ha cobrado por error cinco dólares de más y te tienen esperando media hora mientras investigan la incidencia. O cuando un colaborador hace su trabajo de forma que consideras descuidada. No te estoy diciendo que no reprendas al colaborador. Solo te estoy sugiriendo que tal vez no merece la pena ponerse histérico.

No siempre es fácil: varios factores de estrés pueden sumarse y crear un estrés general, y también es natural estresarse por cosas que realmente no son importantes en el conjunto de la realidad. Me ocurre continuamente.

Podemos reducir nuestro estrés de forma sustancial reconociendo que, en muchas situaciones, nos hemos convertido en perfeccionistas en ámbitos donde la perfección no es necesaria, realista ni útil.

El estrés de Rob era mucho mayor cuando pensaba que el problema era solo de *su* móvil. Pero después, cuando supo que había perdido la cobertura en todas las Bahamas, cambió de expectativas. Se dio cuenta de que no había nada que hacer.

Cuando pudo tomar perspectiva, se habituó a la nueva realidad. ¿En qué punto de la escala estaba el no poder hacer aquella llamada? No superaba el uno.

Y así, quedándose sin cobertura durante más de doce horas, logró tener unas vacaciones de verdad.

> Si no puedes cambiar la realidad —y normalmente no puedes—, entonces dale la importancia que realmente tiene. Cuando tu perspectiva cambia, también lo hace tu capacidad para reaccionar al mundo que te rodea de manera estratégica y productiva.

8   El valor de beber té

Dedica tiempo
a los rituales

Hace poco vi la película *El último samurái* por segunda vez. Ambientada en Japón en la década de 1870, cuenta la historia de un veterano de la Guerra Civil estadounidense que fue capturado por guerreros samuráis y, con el tiempo, aprendió a valorar sus tradiciones.

La primera vez que vi la película, cuando salió en 2003, me entusiasmaron las escenas de lucha bellamente coreografiadas. Pero la segunda vez me conmovió una escena que no recordaba haber visto la primera vez: un samurái tomando té.

Sentado frente a una mesa baja, el samurái mecía el té de forma deliberada y singular. Lo contemplaba. Luego se servía un poco. Le daba un sorbo, para degustarlo y, por último, se lo bebía.

Me di cuenta de que esta era la fuente de la fuerza del samurái.

Las acrobacias eran impresionantes, pero solo eran una *demostración* de su fuerza. La *fuente* era el ritual del té y otros rituales similares. Su poder como guerrero provenía de la paciencia, de la precisión, de la atención por los detalles, de la concentración y del respeto que sentía por el momento.

El poder de los rituales es profundo y suele subestimarse. En gran parte, me parece, porque vivimos en una cultura de lo fugaz en la que el ritual se contempla como una pérdida de tiempo. ¿Quién se puede permitir el lujo de hacer una sola cosa cada vez? ¿Quién tiene la paciencia para dedicarle tiempo a una actividad antes y después de hacerla? Todos deberíamos tener esta paciencia.

Las religiones comprenden y valoran el poder de los rituales. En el judaísmo, las bendiciones son tan abundantes como las aplicaciones de un iPhone. ¿Te despiertas por la mañana? Existe una bendición para ello. ¿Te lavas las manos? ¿Experimentas algo nuevo? ¿Te sientas a comer? Existe una bendición para cada una de estas acciones. Todas las religiones que conozco tienen prácticas similares para que nuestra experiencia del mundo sea sagrada.

Tal vez por esto evitamos los rituales en el mundo de los negocios. La religión implica muchas cosas y es muy personal. Pero un ritual no tiene por qué ser religioso: es únicamente un instrumento de las religiones. El ritual sirve para prestar atención. Se trata de detenerse un momento y darse cuenta de lo que vas a hacer, lo que acabas de hacer, o de ambas cosas. Consiste en sacar el máximo partido de un momento dado. Y esto es algo que podríamos aplicar mucho más en el ámbito de los negocios.

Imagínate que empezáramos cada reunión reconociendo el valor de la colaboración y luego nos dedicáramos, sin distraernos, a las áreas en las que debemos concentrarnos, poniendo de relieve que las prioridades, las ambiciones y los puntos de vista de cada persona son importantes y deben ser escuchados.

¿Qué ocurriría si cada evaluación de rendimiento empezara con una breve disertación sobre la importancia de una comunicación clara y abierta? ¿Si cada vez que trabajáramos en una hoja de cálculo que alguien ha elaborado para nosotros nos paráramos a valorar la complejidad de la tarea y la atención por los detalles que ha prestado? ¿Si al empezar el día nos paráramos a honrar el trabajo que vamos a hacer y con quién vamos a hacerlo?

He aquí un factor que facilita comenzar con estos rituales: no es necesario que lo sepa nadie.

Empieza contigo mismo. Siéntate al escritorio por la mañana, espera un momento antes de encender el ordenador y presta atención a este momento. Tu ritual puede ser respirar hondo. U ordenar los bolígrafos. No importa el qué, pero hazlo con la intención de crear respeto hacia lo que estás a punto de comenzar. Haz lo mismo antes de realizar una llamada. O de recibir una. O antes de reunirte con un colega o un cliente.

Cada vez que nos detenemos, prestamos atención y honramos una actividad, nos ayuda a apreciar lo que vamos a hacer y a concentrarnos en ello. Y, al elevar cada actividad, nos la tomamos más en serio. Disfrutamos más haciéndola. Las personas con las que trabajamos se sentirán más respetadas. Y también sentiremos más respeto por nosotros mismos. Lo que significa que trabajaremos mejor con los demás y obtendremos mejores resultados.

Esta concentración nos ayudará a realizar las tareas con más atención, más competentemente, y seremos más productivos. Y todas las investigaciones demuestran que este tipo de concentración particular hace que seamos mucho más eficientes.

En pocas palabras: ¿los rituales son una pérdida de tiempo? Tal vez sean el antídoto perfecto para un mundo en el que siempre se está escaso de tiempo.

> Retoma el control sobre ti mismo. Antes de empezar cualquier tarea dedica un tiempo a concentrarte, valorar y considerar lo que estás a punto de hacer. Este tipo de atención ritual no solo es poderosa y productiva: también es un placer.

• • • •

9 Antes de meter el kayak en el agua

Prepara cada día

Mi mujer Eleanor y yo hicimos una excursión en kayak durante tres semanas en Prince William Sound, en Alaska. Ella aún estaba en la universidad y yo acababa de graduarme. Habíamos pasado muchas vacaciones en la naturaleza, pero nunca solos ella y yo, y menos en una naturaleza como aquella. Cuando aterrizamos en Anchorage, me puse a buscar una oficina para cambiar moneda, pero Eleanor me recordó que aún estábamos en Estados Unidos.

Antes de ir, lo preparamos todo con meticulosidad: estudiamos las cartas náuticas, decidimos la ruta y nos entrenamos a fondo con las embarcaciones. Buscamos la mala mar más endiablada que pudimos encontrar y volcamos una y otra vez con los kayaks para comprobar lo rápido que podíamos retomar la posición o meternos de nuevo en el kayak si nos habíamos salido de él. En Prince William Sound no existe margen de error. En esas aguas heladas, solo se puede sobrevivir durante cuatro o cinco minutos.

Cuando llegamos a Prince William Sound, agradecimos habernos preparado tanto. Y sabiendo la rapidez con la que cambia el tiempo en Alaska, cada mañana instituimos un ritual de precauciones antes de dejar la relativa seguridad de la playa. Con mucho cuidado, metíamos todo en bolsas impermeables y las guardábamos en los compartimentos herméticos de la embarcación. Todo lo esencial —la radio de alta frecuencia, el protector solar, el espejo para hacer señales, la crema de cacahuete y las galletas de chocolate—, todo lo que era imprescindible, lo guardábamos en una bolsa en la parte delantera de mi kayak.

Y, cada mañana antes de partir, nos hacíamos la misma pregunta: «Si muriéramos hoy, ¿a qué error lo atribuiría la revista *Sea Kayaker*?»

Antes de ir a Alaska, leí todos los números que pude de *Sea Kayaker* para consultar los informes de accidentes. Estos informes identificaban aquellos errores o malas decisiones que tomaron las personas que, más a menudo de lo que reconocí a mis padres, acabaron muriendo.

Un tipo sabía que no tenía que salir al mar porque el tiempo era malo y el oleaje intenso, pero tenía una cita y no quería perder el ferry de vuelta a casa. Pues bien, perdió aquel ferry y nunca más volvió a tomar ninguno. Otro, en el último día de su viaje, no se preocupó de guardar su equipo en una bolsa impermeable porque no esperaba necesitarlo. Pero una ola impactó contra su kayak, volcó y se mojó todo. Logró llegar de nuevo a la orilla, pero, como no tenía nada seco con lo que taparse, murió de hipotermia. También una carrera de Outward Bound (una asociación que organiza excursiones para jóvenes) se vio sorprendida por vientos fuertes y corrientes repentinas frente a la costa de Baja California. Murieron tres estudiantes.

Así que cada mañana, antes de meternos en el agua con los kayaks, dedicaba cinco minutos a pensar en lo que podía ocurrir ese día —el plan, el tiempo, el equipo, las contingencias, nuestra condición física, los obstáculos que pudiéramos encontrar— y luego me preguntaba si estábamos preparados.

Ahora, años después, desde la seguridad de mi despacho, sigo pensando que es la mentalidad idónea para enfrentarse a cualquier día.

Siempre estamos muy ocupados. Con las prisas, queriendo hacer más y más cosas, ¿con qué frecuencia vamos a una reunión, o nos embarcamos en un proyecto, o nos ponemos a hablar, sin habernos preparado? Es una reacción visceral porque tenemos muchos asuntos de los que ocuparnos. Nos parece que podemos prescindir del tiempo para prepararnos y nos zambullimos sin pensar en situaciones en las que luego cometemos errores, lo cual nos hace volver a empezar y, por lo tanto, perdemos tiempo.

Las preguntas que me hago hoy en día son ligeramente diferentes de las que nos hacíamos Eleanor y yo durante nuestro viaje en kayak, porque los riesgos son distintos. Pero la idea sigue siendo la misma: ¿estás preparado para este día? ¿Para las reuniones que tienes planificadas? ¿Has pensado seriamente en el trabajo que te espera? ¿Has anticipado los riesgos que pueden hacerte descarrilar? ¿Tienes claro qué es lo que debes conseguir? ¿Lo que has planificado para hoy logrará que estés más cerca de lo que te propones? No es una pérdida de tiempo, al contrario: hacerte estas preguntas te ayudará a ser más productivo.

Nuestro viaje a Alaska acabó con Eleanor y yo sanos y salvos porque dedicamos tiempo a preparar cada día como si fuera el día más importante de nuestras vidas. Porque, de hecho, el riesgo era lo bastante elevado como para que, si no lo hubiéramos preparado bien, aquel día fuera el más importante de nuestras vidas: el último.

¿Por qué no darle al día de hoy, dado que es el único que ahora mismo tienes a tu disposición, la misma importancia?

No abordes tareas sin pensar bien en lo que estás haciendo. Cada mañana, reserva un poco de tiempo para hacerte esta pregunta: «¿Estoy preparado para el día de hoy?» Puede que igualmente te equivoques, pero estarás mucho más preparado para ello si te haces esta pregunta.

• • • •

10 Una lección del rúter

Reiníciate

De repente, se cortó la conexión inalámbrica a Internet. Al principio, me frustré porque estaba buscando unos libros en Amazon. Pero pronto pensé que era una suerte, porque también tenía que escribir un artículo y la búsqueda en Amazon me estaba distrayendo. Me resistí a seguir distrayéndome tratando de conectarme de nuevo y me puse manos a la obra. Acabé el artículo en un tiempo récord.

Por sí mismo, esto ya es una lección. Pero la historia no acaba aquí.

Al acabar el artículo, tenía que enviárselo al editor. Lo que antes era una distracción —arreglar la conexión— era ahora algo imprescindible. Así que puse en práctica todos mis conocimientos en tecnología: empecé a gritarle al rúter.

Nada, todo seguía igual. De modo que grité más fuerte. Como no obtuve resultados, cerré todas las aplicaciones y reinicié el ordenador. Seguía sin funcionar. Me metí en el programa del rúter y empecé a jugar con la configuración. Nada. Al final, apagué y encendí el rúter varias veces, pero no hubo cambio alguno.

Así que me quedé allí sentado, en silencio, mirando con odio mi ordenador y dispuesto a admitir la derrota. Pero luego recordé una solución que me había funcionado anteriormente, cuando todo lo demás fallaba. Desconecté todos los aparatos y esperé un minuto. Durante este intervalo no tenía nada que hacer, y me quedé ahí sentado.

Es raro, porque un minuto es muy poco tiempo pero, una vez transcurrido, me sentía sensiblemente diferente. No estaba ni enfadado, ni molesto, ni frustrado. Estaba al borde —igual que antes— de tirar a la basura todos aquellos aparatos si la solución no funcionaba. Pero me sentía revitalizado. La situación no había cambiado; había cambiado mi perspectiva.

Resulta que al desconectar mi equipo, también me había desconectado yo. Y cuando pasó ese minuto breve, casi inadvertido, me sentí diferente. Renovado. Preparado para hablarle amablemente al rúter en lugar de gritarle. Incluso estaba dispuesto a bromear un poco para destensar la situación.

Y tuve un pensamiento: tal vez esta estrategia de desconectar y pararlo todo durante un minuto es una buena solución cuando las cosas no funcionan.

Reforcé esta idea hace poco cuando hablé por teléfono con mi mujer mientras ella estaba de viaje. Estábamos tratando una cuestión complicada y ambos teníamos la sensación de que el otro no estaba escuchando. Luego, se cortó la llamada. Intentamos llamarnos de nuevo, pero solo funcionaba el contestador. Así que nos quedamos sentados durante un minuto, cada uno en nuestro lugar respectivo. Desconectados.

Cuando al final logramos contactar, el tono de la conversación había cambiado radicalmente. Éramos más comprensivos. Estábamos más atentos a lo que decía el otro. Más dispuestos a perdonarnos y querernos. Escuchábamos mejor y empatizábamos mejor con lo que defendía el otro. Nunca pensé que fuera a decirlo, pero, por una vez, me alegré de que se cortara la línea del teléfono. Nos dio a ambos un minuto para respirar y adoptar una nueva perspectiva.

Desconectar y esperar un minuto es una estrategia inesperada, porque parece pasiva. No estás desarrollando estrategias, argumentos o puntos de vista activamente. De hecho, no estás haciendo activamente nada.

Cuando desconectas y esperas un minuto, vuelves a tu configuración por defecto, que en la mayoría de las personas suele ser generosa, abierta, creativa, empática y servicial. Esto aumenta las probabilidades de ser efectivos cuando nos volvemos a conectar.

¿Estás en una reunión que no va a ninguna parte? Date un respiro. ¿No avanzas con esa propuesta que tienes que escribir? Levántate y date un paseo. ¿Te peleas con tus hijos? Pide un tiempo muerto. Desconecta un minuto y respira.

No es una estrategia que requiera practicar mucho o mejorar tus habilidades. Solo necesitas recordarla. A veces, la vida necesita un compromiso activo y voluntario. Pero, otras, el mejor movimiento es desinvolucrarse. Este minuto mágico en el que no haces nada tiene el poder de cambiarlo todo.

Que es precisamente lo que ocurrió con mi gran y sabio maestro, el rúter. Milagro de los milagros, al conectarlo después de un minuto, la conexión volvió a funcionar. Y yo también.

> Cuando debas recuperar el equilibrio —en una conversación o situación complicada—, en lugar de excitarte, dedica un minuto a no hacer nada: básicamente, pide un tiempo muerto. Al reiniciarte, habrás cambiado de perspectiva.

• • • •

11 Esto es lo que se siente cuando...

Deja de rendir.
Empieza a vivir

La noche antes de nuestra boda, Eleanor y yo estábamos de pie algo nerviosos en medio de una gran sala, rodeados por nuestras familias y amigos íntimos. No había una razón particular para estar incómodos: únicamente se trataba de un ensayo. Aun así, éramos el centro de atención y no todo iba sobre ruedas. Todavía no habían llegado ni el rabino ni el cantor, y no sabíamos dónde colocarnos, qué decir o qué hacer.

Nos había costado once años —y un montón de trabajo— llegar a este momento. Eleanor es de confesión episcopal, hija de una diácono, y yo soy judío, hijo de un superviviente del Holocausto. Lo único en lo que estaban de acuerdo nuestros padres antes de la boda era en que no debíamos casarnos.

Una amiga nuestra, Sue Anne Steffey Morrow, una ministra metodista, se ofreció para sustituir a los oficiantes judíos que no habían llegado. Dirigió el ensayo, diciendo a cada uno dónde debía colocarse, leyendo los textos y distendiendo la situación con bromas oportunas.

Cuando acabó el ensayo y ya estábamos un poco más relajados, nos dio un consejo a Eleanor y a mí que sigue siendo uno de los mejores que he oído.

«Mañana, el día más importante de vuestra vida, cientos de personas os estarán observando. Tratad de recordar esto: no es una evaluación, es una experiencia.»

Me gustó especialmente que dijera: «Tratad de recordar esto». En principio, parece fácil de recordar, pero, en realidad, es casi imposible porque gran parte de lo que hacemos *parece* una evaluación. Nos puntúan en el colegio y analizan nuestro trabajo. Ganamos carreras, nos otorgan títulos, recibimos halagos y a veces nos hacemos famosos, todo en función de nuestro rendimiento. Incluso las pequeñas cosas —dirigir una reunión, entablar una conversación en el pasillo, enviar un correo electrónico— suscitan la silente pero omnipresente pregunta: «¿Cómo ha ido?»

En otras palabras, pensamos que la vida es una evaluación porque, a fin de cuentas, en parte lo es. Nos sentimos juzgados por los demás porque, a menudo, nos juzgan. Y seamos sinceros: no solo son ellos quienes juzgan. La mayoría de las personas dedica también una parte considerable de su energía a juzgar a los demás, lo que, por supuesto, solo refuerza la sensación de que somos juzgados y alimenta nuestra necesidad de hacerlo bien.

Pero he aquí la paradoja: vivir la vida como una evaluación no solo es una forma de estresarse y ser infeliz, sino que también merma nuestro rendimiento. Si lo que quieres es mejorar en cualquier aspecto, debes vivirlo con la mente abierta, arriesgar y fracasar, aceptar y aprender de buena gana de cualquier resultado que obtengas. Y cuando logras un resultado aceptable, siempre tienes que darle una vuelta de tuerca más para encontrar algo diferente.

Los que rinden mejor están toda la vida aprendiendo y esto significa que constantemente están probando cosas nuevas. Gran parte del tiempo su rendimiento es bajo y, solo a veces, brillante, pero es algo que no puede predecirse. Si consideras que tu vida es una evaluación, los fracasos serán tan dolorosos que tendrás miedo de seguir experimentando. Pero si consideras que tu vida es una experiencia, los fracasos solo formarán parte de esta experiencia.

¿Qué diferencia una evaluación de una experiencia? Todo está en tu cabeza.

¿Intentas tener buen aspecto? ¿Quieres impresionar a los demás o ganar algo? ¿Buscas aceptación, aprobación, elogios, un aplauso atronador e incondicional? ¿Te duele no lograrlo? Entonces es que estás en una evaluación.

Por el contrario, si estás experimentando, quieres ver qué se siente haciendo algo. Intentas comprobar qué pasaría si... Cuando estás experimentando los resultados negativos son tan valiosos como los positivos. Sin duda, la aceptación, la aprobación y los elogios sientan bien, pero no determinan el éxito. El éxito consiste en que te sumerjas completamente en la experiencia, sin importar su resultado final, ni si aprendes de ella o no. Este tipo de éxito siempre se puede lograr independientemente de cómo respondan los demás.

Cuando actúas como en una evaluación, el éxito dura muy poco. Tan pronto como logras un objetivo o recibes una ovación, la evaluación acaba y ya no es gratificante. La pregunta que nunca acaba de responderse es: ¿qué es lo siguiente?

Pero cuando estás experimentando, el quid de la cuestión no es el final, sino el momento. No *buscas* una sensación que tienes *después* de la acción, sino que la *sientes durante* la acción. No dependes de una medida externa y variable, sino que te motiva una medida interna y estable.

Así que ¿cómo podemos desprendernos de la evaluación para abrazar la experiencia? He aquí algo que me ha ayudado. Varias veces al día, completo la siguiente frase: «Esto es lo que se siente cuando...»

Esto es lo que se siente cuando te halagan. Esto es lo que se siente cuando estás enamorado. Esto es lo que se siente cuando te has atascado escribiendo una propuesta. Esto es lo que se siente cuando estás delante del director general. Esto es lo que se siente cuando te avergüenzas. Esto es lo que se siente cuando te aprecian.

Decir estar frase y sentir cualquier cosa que me esté ocurriendo me sume instantáneamente en la experiencia. La evaluación pierde la primacía y mi mente deja de preocuparse por el resultado. No tengo malas sensaciones: todas me enriquecen.

El día de mi boda, seguí el consejo de Sue Anne. Y cuando vuelvo a pensar en ello (ya han pasado más de quince años), los momentos que recuerdo con más claridad y afecto son los que no ensayamos, todo aquello que fue mal pero que, de alguna forma, le dio vida a la boda. Incluso el ensayo, que obviamente no fue según lo planeado porque faltó el rabino, fue perfecto porque pudimos integrar a una ministra —que significaba mucho para Eleanor y su familia— de una manera mucho más significativa que lo que habíamos previsto.

No tengo ni idea de cómo evaluar la ceremonia de mi boda. Ahora bien, como experiencia, fue perfecta.

> La próxima vez que seas el centro de atención, despréndete de la idea de que estás siendo «evaluado». En vez de esto, déjate llevar y vive el momento, porque así le sacarás el máximo provecho.

• • • •

12 «No tengo tiempo para pensar»

Invierte en concentración desconcentrada

En un frenético y reciente viaje de negocios a Florencia, tuve suerte: mi cliente me reservó una habitación en el Four Seasons, que consta de dos edificios, ambos palacios restaurados del Renacimiento, separados por casi cinco hectáreas de jardines. Estaba encantado.

Bueno, al menos hasta que llegué y me di cuenta de que mi habitación estaba en el palacio más lejano. Cada vez que iba al hotel, debía recorrer toda esta distancia por los jardines hasta la habitación. Tenía todos los días repletos con citas de asesoramiento y a esto había que sumarle los asuntos corrientes de los que me suelo ocupar. Esa caminata larga y obligada iba a robarme un tiempo inestimable que apenas podía permitirme.

Al principio, llegaba a los jardines molesto y los recorría con determinación y rapidez. Pero, para mi sorpresa, a medida que hacía estos paseos, caminaba más despacio. Al final, el paseo por los jardines se convirtió en una experiencia transformadora. Mientras deambulaba por los senderos serpenteantes, mi mente también se ponía a pasear y hallaba conexiones, extraía conclusiones y desarrollaba ideas.

En nuestras vidas y lugares de trabajo, que van a un ritmo acelerado y se centran en la productividad, estamos perdiendo los jardines, literal y metafóricamente. Debemos recuperarlos.

Hace poco almorcé con Rajip, el director de tecnología de un importante banco de inversiones. Al volver a su despacho después de pasar una hora juntos, le habían enviado 138 nuevos correos electrónicos. Mientras hablábamos, le seguían llegando mensajes. «¿Cómo voy a poder mantenerme al día?», me preguntó. No puede. Rajip tiene cerca de diez mil empleados en su grupo. «No tengo tiempo para pensar», se quejó.

No tengo tiempo para pensar. Seguramente las cinco palabras más aterradoras que puede pronunciar un líder. Pero ya no nos aterran porque son un lugar común. No necesitamos diez mil empleados para estar demasiado ocupados para pensar. Casi todos nos sentimos igual.

No se trata de que no seamos productivos: somos increíblemente productivos. Producimos objetivos. Tomamos decisiones. Creamos y gastamos presupuestos. Dirigimos equipos. Escribimos propuestas. De hecho, al menos en parte, nuestra productividad es el problema. Algo se ha perdido en este entorno de productividad maniática: aprender.

Con unos días tan ocupados, rara vez analizamos profundamente nuestras experiencias, ni consideramos detalladamente los puntos de vista de los demás o evaluamos cómo los resultados de nuestras decisiones pueden afectar las elecciones que tomaremos en el futuro. Todo esto requiere tiempo. Es necesario que bajemos el ritmo. Pero ¿quién tiene tiempo para esto? La consecuencia es que reflexionamos menos y nuestro rendimiento decrece.

A menudo, solo cuando nos fuerzan a interrumpirnos, bajamos lo bastante el ritmo como para poder aprender. Una enfermedad, perder el trabajo, la muerte de un ser querido: todas estas situaciones nos obligan a detenernos, pensar y evaluar las cosas. Pero son interrupciones que no dependen de nosotros y, con suerte, no ocurren a menudo.

¿No sería magnífico aprender continuamente sin interrupciones forzadas? ¿Que pudiéramos interrumpirnos a nosotros mismos durante un momento cada día para pensar y aprender?

Lo que necesitamos son solo unos minutos para pasear por un jardín metafórico.

¿Qué le sugerí a Rajip? Fíjate dónde reflexionas mejor y habitúate a ir allí cada día. Yo he convertido en una costumbre hacer varios «paseos por el jardín» diariamente.

Pasear por un jardín es también un ejercicio al aire libre. Si salgo a dar una vuelta en bici, a correr o a caminar, prácticamente siempre se me ocurre algo y al volver mi perspectiva ha cambiado, es mejor. Este es mi jardín preferido, del que más dependo para tener ideas.

El otro es escribir. Al escribir, desarrollo mis pensamientos y las experiencias que tengo me ayudan a mejorar mi visión del mundo. No hay por qué compartir lo que escribes —un diario personal es una buena manera de hacerlo— y no tienes que dedicarle más de unos pocos minutos al día.

Conversar con amigos o compañeros también constituye un paseo revigorizante e instructivo. Estas conversaciones dependen de la generosidad de los que me rodean, y trato de no abusar de ellas. Suelo empezar la conversación con algo así: «¿Tienes un momento para reflexionar sobre algo conmigo?» Mi intención es que no se convierta en un rato pesado, y el objetivo es más cuestionar mi punto de vista que confirmarlo.

Los paseos por el jardín pueden ser muy rápidos, pero es importante priorizar la reflexión sobre la divagación. Me pongo la alarma del reloj cada hora y, cuando suena, me pregunto qué es lo que he hecho en la hora anterior y qué planeo hacer para la siguiente. Un minuto pasa volando, pero es suficiente para que la pausa sea efectiva. También dedico algunos minutos cada tarde, antes de salir de la oficina, para evaluar lo que he vivido durante el día.

Chris Fox, elegido por *Fast Company* como una de las cien Personas más Creativas en el Ámbito Empresarial en 2011,[7] dirige a todos los ingenieros y diseñadores que trabajan en Facebook. Como Rajip, no goza del lujo de disponer de un montón de tiempo. «El camino del trabajo a casa es el tiempo más creativo y productivo que tengo», comentó. «No me concentro en nada en particular, pero logro concentrarme intensamente.»

Concentración desconcentrada. Suena como un agradable paseo por el jardín.

¿Demasiado ocupado para analizar, reflexionar o pensar en cuestiones importantes? Aparta las pantallas, silencia cualquier runrún que te distraiga y disfruta cada día de un rato de concentración desconcentrada.

• • • •

13 Cuando devolví mi iPad

Abraza el aburrimiento

Una semana después de comprarme un iPad, lo devolví a Apple. El problema no era el iPad en sí, aunque tuviera algunos defectos. El problema era yo.

Me gusta la tecnología, aunque me sumé a ella un poco tarde. Esperé a la segunda generación de iPods, a la segunda generación de iPhones y a la segunda generación de MacBook Air. Pero el iPad era diferente. Era tan fino, tan elegante, tan revolucionario... Y pensé que, dado que se parecía tanto al iPhone, la mayoría de los defectos ya se habrían solucionado, así que a las cuatro de la tarde del día que lanzaron el iPad, y por primera vez en mi vida, hice una cola de dos horas para comprarlo.

Encendí el iPad en la tienda porque quería estar seguro de que podría empezar a usarlo desde el primer momento. Y empecé a usarlo. Lo llevaba a todas partes porque al ser tan pequeño, delgado y ligero... ¿qué me lo impedía?

Por supuesto, escribía con él los correos electrónicos. Pero también artículos, utilizando Pages. Miraba episodios de *Weeds* en Netflix. Consultaba las noticias, el tiempo y los informes de tráfico. Y, por supuesto, lo enseñaba con orgullo a, en fin, cualquiera que mostrara el más mínimo interés.

Pero no pasó mucho tiempo hasta que me las vi con el lado oscuro de este dispositivo revolucionario: es demasiado bueno. Es demasiado fácil. Demasiado accesible. Con tanta rapidez como duración tiene la batería. Está claro que tiene algunos defectos, pero ninguno es escandaloso. En gran medida, hace todo lo que puedo pedirle, lo que, en última instancia, es un problema.

Por supuesto que *quería* ver otro episodio de *Weeds* antes de irme a dormir, pero ¿debía hacerlo? Es muy difícil parar después de solo ver un episodio. Dos horas después, me había entretenido y estaba cansado pero ¿estaba mejor? ¿O hubiera sido más conveniente dormir siete horas en lugar de cinco?

Lo increíble del iPad es que es un ordenador que puedes utilizar en cualquier lugar y a cualquier hora: en el metro, en el vestíbulo mientras esperas el ascensor, en el coche de camino al aeropuerto. Cualquier momento libre es un momento potencial con el iPad. El iPhone puede hacer más o menos lo mismo, pero no exactamente. ¿Quién quiere mirar en la cama una película con el iPhone?

Entonces, ¿dónde está el problema? Por lo que parece, yo era hiperproductivo. En cada minuto libre estaba consumiendo o produciendo.

Pero hay algo —además del sueño, que también es esencial— que se perdía en esta disponibilidad absoluta. Algo demasiado valioso como para perderlo: el aburrimiento.

Estar aburrido es un estado mental, algo que deberíamos promover. Una vez que se apodera de nosotros, empezamos a divagar, a buscar algo emocionante, algo interesante, a lo que dedicar nuestra atención. Y es entonces cuando surge la creatividad.

Tengo las mejores ideas cuando no soy productivo. Cuando estoy corriendo, o duchándome, o sentado sin hacer nada, o esperando a alguien. Cuando estoy estirado en la cama y mi mente deambula antes de que la inunde el sueño. Estos momentos «desperdiciados», que no dedicamos a nada en particular, son vitales. Son los momentos en los que, a menudo de forma inconsciente, organizamos nuestra mente, le damos sentido a nuestra vida, atamos cabos. Son los momentos en los que hablamos con nosotros mismos. Los momentos en los que nos escuchamos.

Perderlos, reemplazarlos por tareas y eficiencia, es un error. Lo peor es que no solo los perdemos, sino que los desechamos por completo.

«No es un problema del iPad», apuntó mi hermano Anthony, quien no en vano produjo una película titulada *Nuestro estúpido hermano*. «Es un problema tuyo. Simplemente, deja de utilizarlo tanto.»

¡Culpable! El problema lo causaba yo. Pero yo no puedo *no usarlo* si está ahí. Y, por desgracia, siempre está ahí. Así que lo devolví. Problema resuelto.

Pero de hecho sí que me enseñó algo sobre el valor del aburrimiento. Ahora soy mucho más consciente al aprovechar esos momentos extras, entre una cosa y otra, cuando camino, o monto en bici, o espero, para dejar que mi mente divague.

Después de devolver el iPad, me di cuenta de que mi hija Isabelle, que por entonces tenía ocho años, estaba increíblemente ocupada desde que llegaba a casa del colegio hasta que se iba a dormir. Bañarse, leer, tocar la guitarra, cenar, hacer los deberes…; no tenía ni un momento libre hasta que la llevaba a la cama. Una vez allí, trataba de hablar conmigo, pero a mí me preocupaba más que tuviera suficiente tiempo para dormir, así que la instaba a callarse y a dormirse.

Ahora, en cambio, tenemos un nuevo ritual que se ha convertido en mi parte preferida del día. La llevo a la cama quince minutos antes y, en lugar de pedirle que se duerma, me siento con ella y hablamos. Me cuenta lo que le ha ocurrido, lo que le preocupa, lo que le pica la curiosidad o lo que piensa. La escucho y le hago preguntas. Nos reímos juntos. Y dejamos que nuestras mentes divaguen.

Evita la manía de llenar con tareas cada momento del día, especialmente si tienes que ser extraproductivo o creativo. Las mejores ideas surgen cuando no hacemos nada.

* * * *

14 La clase de primer curso de Dorit

Ignora a tu crítico interior

«¿Quién me puede decir qué fiesta celebramos la semana que viene?» Dorit miró a su alrededor, a un círculo de niños de seis años de edad que estaban en la clase, y casi todos alzaron, o más bien agitaron frenéticamente, la mano.

Acompañaba a mi hija en su primer día de colegio en una escuela judía con métodos innovadores y estaba fascinado.

Dorit dio la palabra a uno de los niños, que respondió: «Purim». Se había adelantado casi un mes.

«Es verdad que pronto llegará Purim.» Dorit sonrió al niño y este le devolvió la sonrisa. «Pero no es la semana que viene. ¿Alguien lo sabe?» Recorrió con la vista a los niños y esta vez le dio la palabra a una niña.

«Tu Bishvat», contestó la niña.

«Muy bien», Dorit sonrió de nuevo. «Y, ¿quién sabe qué se celebra en Tu Bishvat?»

Los niños apenas podían reprimir su entusiasmo. Uno soltó que era el aniversario de los árboles, pero no había levantado la mano, así que Dorit siguió mirando las manos de los niños y finalmente le dio la palabra a otro niño, que repitió que era el aniversario de los árboles.

«Sí, es verdad», ratificó Dorit, y luego les siguió haciendo preguntas durante un rato. Aunque no les faltaba energía, ninguno de ellos intervino si Dorit no le daba la palabra. Cuando acabó, cantaron juntos mientras recogían los objetos del aula y la preparaban para la siguiente actividad.

Se estaba tan bien que no me quería ir. Y en todo caso, cuando ya era evidente que no podía quedarme más tiempo, me fui con una sonrisa que me acompañó un buen rato después.

Estar presente en esa clase fue una lección sobre la gestión de las personas. La actitud positiva de Dorit tratando a los niños es un modelo insuperable de cómo los directores deberían tratar a sus empleados.

Pero, para mí, aquella mañana resultó ser algo más profundo que una lección sobre cómo gestionar a las personas. Fue una lección sobre cómo gestionarme a mí mismo.

Después de salir de la clase me puse a pensar si yo me trataba a mí mismo como Dorit trataba a los niños. ¿Me doy ánimos? ¿Me digo las cosas que hago bien tanto como las que hago mal? Y, cuando hago algo mal, ¿lo dejo atrás, o no paro de insistir en ello, torturándome?

En otras palabras: ¿qué tipo de aula es mi cabeza?

Todos hemos oído aquello de que no hay peor crítico que uno mismo. Pero ¿no deberíamos tratarnos con, al menos, el mismo respeto que una profesora de primer curso trata a sus alumnos? ¿Por qué no lo hacemos?

Probablemente porque crecimos en un ámbito educativo que enfatizaba más las críticas que la admiración. Tal vez nos parezca arrogante —incluso indecoroso— hablarnos a nosotros mismos con las mismas alabanzas efusivas y el positivismo con el que Dorit hablaba a su clase. Incluso nos puede parecer que es peligroso tomárnoslo con demasiada calma. Si lo hiciéramos así, quizá no lograríamos nada de lo que queremos. Tal vez nos convertiríamos en unos gandules.

Pero lo que vi en aquella clase no era gandulería. Los niños no podían estar más motivados para hallar la respuesta acertada. Ponían todo su esfuerzo en ello. Cuando respondían correctamente, se sentían bien. Si, por el contrario, se equivocaban, no se obcecaban por haberse equivocado, sino que pasaban a la siguiente pregunta (lo que, con toda seguridad, es la conducta ideal para lograr éxito a largo plazo). Y estaban contentos.

De hecho, es nuestro crítico interno —aquel que pensamos que nos mantiene motivados— el que nos desmotiva. Reprendernos por hacer algo mal solo nos incita a no querer volverlo a intentar. Nuestra confianza se desmorona cuando hacemos caso de la voz que dice que no somos lo bastante buenos. Dudamos de tomar riesgos, de probar cosas nuevas, de experimentar. Y, si fracasamos, es menos probable que lo volvamos a intentar. El instinto de ser duro con uno mismo no solo es doloroso, también es contraproducente.

Es decir, no solo es agradable tratarse bien, sino que es un movimiento estratégico. A pesar de que no siempre sea fácil ser amable con uno mismo. Es evidente que Dorit tiene que aguantar un montón de gritos, actitudes hostiles y conductas condenables. ¿Cuál es su secreto?

Al ver a Dorit interactuar con sus alumnos —y, después, al hablar con ella— era evidente que lo que hacía con los niños era un indicador retrospectivo de lo que sentía por ellos. Lo percibí de inmediato. Sin duda, los pequeños también lo percibían. ¿Qué sentía por ellos?

Amor.

Piénsalo: cuando amas a alguien, no te obstinas en sus errores, sino que los dejas atrás. Si no sabe algo, no haces que se sienta incómodo: buscas la respuesta en otro lugar. Y cuando tiene éxito, te sientes bien felicitándole. Le animas cuando está luchando, le haces notar las cosas que hace bien. Y, tal vez, si estás de buen humor, cantas con él mientras disfrutas de tu rutina diaria.

¿No es esta la clase en la que quieres que viva tu cabeza? ¿La forma que tienes de hablarte expresa el amor que sientes por ti? ¿O expresa irritación, impaciencia y frustración?

Cuando nos sentimos amados y apreciados, cuando se preocupan por nosotros, nos esforzamos más, tomamos más riesgos, colaboramos con los demás y rendimos mejor. La autocompasión no hace de ti un gandul, sino que te hace increíblemente productivo. Cuando te sientes bien contigo mismo, apuntas alto y sabes que, aunque fracases, estarás bien. Es la confianza que necesitas para aprovechar las buenas oportunidades y lograr lo que más quieres.

Por lo mismo, todo el tiempo que dedicamos a la autocrítica es un desperdicio improductivo. Es el elogio lo que nos motiva. Está claro que lo ideal sería que todos los que nos rodean nos trataran con amor y respeto. Pero, antes de pedírselo a los demás, creo que es importante que primero nos lo pidamos a nosotros mismos.

La pregunta es: ¿cómo? O, según un amigo mío, particularmente obsesionado por los negocios: «¿Cómo *operacionalizas* el amor?» Es sorprendentemente más fácil de lo que piensas.

Empieza prestando atención a la voz de tu cabeza. ¿Qué es lo que dice de ti? ¿Suena como Dorit? ¿O suena como aquel director que tuviste antaño y aún odias? Si prestas atención, cambiará la forma que tienes de hablarte a ti mismo y, a la vez, cambiarás lo que sientes por ti.

Actúa igual que Dorit con los niños: no recompenses una conducta negativa prestándole atención y obstinándote en tus fracasos. En lugar de esto, distráete inmediatamente ocupándote de cualquier otra cosa.

Por otro lado, el momento adecuado para prestar atención es cuando tienes éxito. Dedica un rato a felicitarte. Deja que el buen trabajo se refleje en ti. Piensa en cómo lo que has hecho te ha llevado al éxito y así tendrás más posibilidades de repetirlo. Ríete contigo mismo. Disfruta de ti. Date cuenta de lo genial que eres.

Al principio, puede que te sientas extraño, pero los sentimientos preceden a las acciones y, cuando le cojas el truco, tendrás más confianza en ti mismo. Empezarás a disfrutar más de ti. Y, si aún no has tenido el placer, tal vez incluso te enamores de ti.

A esas alturas, no te parecerá una actitud arrogante. La arrogancia

consiste en pensar que eres mejor que nadie, lo cual suele ser un mecanismo protector provocado por la inseguridad que sientes cuando no
estás bien contigo mismo. Cuando te amas, no necesitas sentirte mejor
que nadie: sencillamente, estás bien contigo mismo.

Amarte no solo cambiará la forma que tienes de hablarte. Con el
tiempo, también cambiará la forma que tienes de hablar a los demás, lo
cual será percibido positivamente por tus compañeros, por tu departamento, por tu empresa y por aquellos que estén en contacto con tu organización. Resulta que hablar con amor no solo te hace más productivo;
también hace que todo aquel que tengas cerca sea más productivo.

Si lo practicas continuamente, este pequeño ejercicio mental se ex-
panderá, y el mundo entero empezará a sentirse —y a actuar— como
la clase de primer curso de Dorit.

> La eficacia empieza con la confianza. Cuando aparezca
> de nuevo tu crítico interior, ponle una voz de amor, cari-
> ño y apoyo; la voz que utilizarías con un niño de seis
> años.

• • • •

15 El doble revés de Carlos

Recupera tu punto fuerte

Dedicar tiempo a proyectos que consideraba irrelevantes estaba volviendo loco a Carlos.

Carlos es un líder excelente. Ha mejorado todas las empresas que ha dirigido, sus colaboradores son leales y, bajo su batuta, se han convertido ellos mismos en líderes exitosos. Es excepcionalmente bueno en lo que hace, por lo que malgastar el tiempo le frustra sobremanera.

Su éxito no consiste en ser eficiente. De hecho, no es particularmente eficiente. Pero tiene una capacidad asombrosa para trabajar en la dirección correcta.

Carlos tiene un don especial para ver oportunidades únicas. Se da cuenta de ellas y las persigue sin descanso hasta conseguir un beneficio significativo o una ventaja estratégica para su empresa. Dedicar tiempo a otra cosa que no sea este talento particular es lo que puede llevarle a sufrir un doble revés.

El primer revés es lo que hace: dedica tiempo a algo en lo que no es bueno.

El segundo revés es lo que no hace: buscar la oportunidad única para obtener un beneficio significativo o una ventaja estratégica. Las oportunidades no aparecen a menudo y puede que pasen de largo. Carlos se siente afortunado cuando tiene una corazonada. Si no está atento, teme perder la oportunidad.

Trabajo con muchos directores ejecutivos, así como con muchos miembros de juntas directivas, y la experiencia me dice que Carlos no es una excepción: es la norma. A la mayoría de los líderes —de hecho, la mayoría de las personas que son especialmente exitosas— se los valora por un conjunto de habilidades no muy extenso, pero sí importante e inusual. Puede que seamos buenos en muchas cosas, pero solo somos excepcionales en unas pocas. Llegar a ser director ejecutivo no lo cambia.

Por esta razón, Carlos —como muchas personas— tiene una aversión, casi un miedo desesperado, a que otras actividades que no son sus puntos fuertes le absorban el tiempo. Todos deberíamos tenerlo. Si no, iríamos directos a la mediocridad, lo cual no es nada bueno ni para nosotros ni para nuestras empresas.

Pero el peligro para Carlos es mucho mayor. Las personas que son muy buenas en algo a menudo no saben por qué lo son. Tienen una sensibilidad que les sobrepasa. Y esta sensibilidad conlleva el miedo de que la magia es efímera y de que, si se desconcentran, desaparecerá. Este miedo es legítimo.

Pero he aquí el quid de la cuestión: aunque tememos no aprovechar nuestro punto fuerte, y aunque sea totalmente contraproducente, la mayoría seguimos pasando la mayor parte del tiempo dedicándonos a otras cosas. Más de cuarenta y dos mil personas han realizado la prueba de distracción en www.perterbregman.com y el 73 por ciento está de acuerdo o está muy de acuerdo en que no dedican suficiente tiempo a su punto fuerte, a hacer las actividades que realmente se les dan bien y que más disfrutan. Es un desperdicio de tiempo y talento enorme.

Tienes unos dones que te hacen excepcional. Si no te dedicas a ellos —incluso si tu jefe te pide que no te dediques a ellos—, ambos lo lamentaréis.

¿Cómo evitarlo? Existen dos maneras:

1. Identifica qué es lo que te hace excepcional.

La gestión del tiempo no consiste en aprovechar los minutos, sino en aprovecharte a ti mismo. Y aprovecharte a ti mismo significa dedicar la mayor parte del tiempo a tu punto fuerte, que está en la intersección de tus capacidades, tus debilidades, tus hechos diferenciales y tus pasiones. Carlos ya está un paso por delante: sabe en qué es excepcional. Y tú, lo admitas en público o no, probablemente también lo sabes. Pero, sorprendentemente, nuestra reacción visceral es evitarlo. Enfatizar nuestros puntos fuertes nos parece demasiado arrogante, exponer nuestras debilidades nos hace sentir vulnerables, resaltar sobre los demás nos parece peligroso, y prestar atención a nuestras pasiones resulta demasiado indulgente. Pero eludir aquello que te hace excepcional no es bueno ni para ti ni para quien trabajas. Así que no pierdas más tiempo, identifica tu punto fuerte y dedícate a él.

2. Protege tu tiempo.

Carlos tiene que asegurarse de que la mayor parte del tiempo lo dedica a utilizar su reducido conjunto de habilidades excepcionales, y tú también debes hacerlo. Por desgracia, como sugieren los resultados de la prueba de distracción, no es algo común. Las personas altamente productivas se concentran en unos pocos puntos fuertes. Es cierto que parece que los que ocupan los cargos más altos, porque tienen que dirigir áreas extensas de una empresa, deban sobresalir en un amplio conjunto de funciones y disciplinas. Pero no es verdad. Normalmente, su éxito se fundamenta en hacer muy bien una breve serie de cuestiones. Los más exitosos, las hacen excepcionalmente bien.

Cuando Carlos me pidió consejo, le dije que hiciera todo lo que estuviera en su mano para dejar de ocuparse de aquellos proyectos que le apartaban de su punto fuerte.

«Ver las oportunidades que darán un gran beneficio o una ventaja estratégica es tu marca», le recordé a Carlos. «Es lo que hace que seas un activo tan valioso para tu empresa. Los proyectos que te aparten de esto tal vez no sean una pérdida de tiempo en general, pero sin duda son un desperdicio de tu tiempo.»

> Si dedicas mucho tiempo a tareas en las que no eres bueno ni disfrutas, detente y redirige tus energías a tu punto fuerte. Dedica tu energía a aquello en lo que eres más bueno.

• • • •

16 Los rápidos de House Rock

Imagina lo peor

Después de pasarnos horas remando durante nuestro primer día en el Gran Cañón, llegamos al primer rápido significativo de la excursión. Salimos de las embarcaciones —éramos quince personas con kayak más tres balsas de apoyo— y observamos el rápido desde la orilla derecha del río.

Hasta aquel momento, no había logrado sentirme a gusto. Nunca había remado por unas aguas tan peligrosas, e incluso los rápidos más asequibles —un oleaje que normalmente habría superado sin problemas— me estaban poniendo nervioso. Me sentía incómodo, tenso, extraño y aterrado.

Me presenté voluntario para ir el primero, en gran medida para pasar el mal trago cuanto antes. Me metí en el kayak mientras los demás me observaban desde la orilla. Me temblaban las manos y me costó varios intentos colocar el cubrebañeras.

La adrenalina empezó a correr por mis venas cuando empecé a dirigirme lentamente hacia el rápido. Busqué la posición más adecuada antes de llegar a las aguas bravas. Unos diez metros antes comencé a remar con fuerza, dando golpes secos y fuertes con los remos. Seis metros. Tres metros.

¡Bam!

Me cayó encima una pared de agua del doble de mi estatura y me aplastó contra la parte trasera del kayak. El tamaño de la ola me azoró: era mucho mayor de lo que parecía desde la orilla.

La ola me impactó con tanta fuerza que la embarcación dio media vuelta, pero no lateralmente, sino longitudinalmente. En un instante, estaba cabeza abajo, en el agua. Antes siquiera de poder pensar en hacer un esquimotaje, la corriente me arrancó del kayak y me arrastró hacia abajo. Ni siquiera tuve tiempo de tomar una bocanada de aire. Traté de nadar hacia la superficie, pero no estaba seguro de hacia dónde era.

Al final, unos cinco metros más abajo, el río me expulsó. Tomé aire desesperadamente mientras un monitor con una barba enorme me cogía del chaleco salvavidas y me subía a la balsa.

«Bienvenido al Cañón», dijo riendo. Hice lo que pude por sonreír, tumbado en el suelo de la balsa e intentando recuperar el aliento.

No me esperaba este golpetazo. Pero lo que me ocurrió luego fue todavía más inesperado.

Cuando me subí de nuevo al kayak, pensé que quizás estaría más nervioso, más vacilante e incluso más tenso que antes. Pero fue justo lo contrario. Estaba relajado, cómodo, suelto. Hice varios ejercicios de esquimotaje solo por diversión. Sin adrenalina. Sin temblores. Fue un cambio espectacular. El miedo y la incertidumbre habían desaparecido. Me sentía revitalizado.

Sentí el alivio del fracaso.

Antes de que me arrollara la ola, me aterrorizaba ser arrollado por una ola. Después de haberlo vivido, ya no tenía miedo. Una vez que hube fracasado —y no me refiero a un paso en falso, sino a un fracaso grandioso y espectacular—, supe que podría superar cualquier otro fracaso que me esperara en el río. De hecho, no solo *sabía* que podía superarlos: lo *sentía*.

A menudo oímos que debemos visualizar el éxito, imaginarnos en una situación diciendo las palabras correctas y actuando como debe hacerse. Es una táctica que tiene su momento. Pero me gustaría sugerir una alternativa.

Intenta visualizar el fracaso.

Si tienes pendiente una conversación complicada, cierra los ojos e imagina que va terriblemente mal. Visualízate diciendo las palabras equivocadas. En tu mente, imagina que tu interlocutor responde brutalmente. Observa cómo la situación se os va de las manos. No solo lo pienses, trata de sentirlo. Percibe cómo la adrenalina empieza a correr por tus venas. Cómo late el corazón. Siente la decepción de ti mismo.

Perfecto. Ahora, abre los ojos y sé consciente de que has pensado la peor posibilidad. Lo más probable es que la conversación no degenere hasta el punto que has imaginado. Y, si lo hace, acabas de experimentar qué es lo que se siente y, ¿sabes qué?, has sobrevivido.

A partir de aquí, solo es cuesta arriba.

Por esta razón es tan útil que los perfeccionistas, a quienes a veces les cuesta dar los primeros pasos, visualicen el fracaso. Si el fracaso que visualizamos puede ser tan pernicioso, ¿por qué no probar? Baja el listón y arrebátale al fracaso su poder.

También te da la oportunidad de entablar una conversación con tu miedo al fracaso. Mermer Blakeslee se adentra magníficamente en esta cuestión en su libro *A conversation with Fear* [Una conversación con el miedo]. No te puedes desprender del miedo, y tampoco es algo que quisieras hacer. Pero meterte en él te ayuda a verlo tal cual es, lo que normalmente suele ser mejor de lo que imaginas.

También se favorece otra dinámica cuando visualizas el fracaso: instintivamente, te muestras a ti mismo qué es lo que *no* debes hacer, qué no debes decir, cómo recuperarte si sale mal, cómo reaccionar sin perder el control en el peor de los casos.

Y esta es la ironía: cuando visualizas el fracaso, de hecho estás visualizando el éxito. Te estás imaginando gestionando, sobreviviendo y superando el fracaso. El fracaso no solo es un paso molesto más de camino al éxito, sino que forma parte de la vida tanto como el éxito. Así que lo mejor es acostumbrarse.

Después de que me arrollara aquella ola, la confianza en mí mismo perduró el resto del viaje. Incluso cuando fuimos a los rápidos más difíciles del Cañón —las cascadas Lava—, los superé con comodidad. Tanto, que remonté el río con el kayak por la orilla para hacerlo de nuevo. Esta segunda vez, me impactó una ola por el lado, di un revolcón y perdí el remo.

Pero ya había visualizado una situación parecida, y no me asustó. No salí del kayak, extendí las manos hacia la superficie y me di la vuelta: una vuelta con manos en las aguas más bravas que había en el Cañón.

> Visualizar el éxito puede ser contraproducente, porque te añades presión y no te preparas. Tal vez no parezca obvio, pero visualizar el fracaso como método para calmar los nervios y mantenerte con los pies en el suelo te ayudará a estar más tranquilo y preparado para los retos que te esperan.

● ● ● ●

Check Out Receipt

RCLS - Cathedral City Library
760-328-4262
www.rivlib.net

Thursday, February 21, 2019 11:49:46 AM

Item: 0000941792258
Title: 4 segundos : es todo el tiempo que necesi
tas para frenar los malos hábitos y obten
er los resultados que deseas
Due: 03/07/2019

Total items: 1

Thank You!
Renew items at www.rivlib.net
or call 1-888-388-0664 for book renewal.

GO GREEN. SWITCH TO EMAIL NOTICES.
Ask us how.

2163

17 Ponte proa al viento

Piensa en un proceso,
no en una solución

Cuando mi amigo Sam invitó a su nueva novia, Robyn, a hacer un viaje en velero, era relativamente novato con los barcos. Se había formado razonablemente bien, pero no tenía experiencia. Robyn, por su parte, no tenía ni lo uno ni lo otro.

Esperaban que fuera una travesía larga —de unas siete horas— y se pasaron varios días preparándola. Consultaron mapas y decidieron la ruta. Tenían planeado costear por si necesitaban entrar en algún puerto, pero había algunos tramos en los que no podrían recurrir a ninguna ayuda. Compraron comida, víveres de emergencia y les comunicaron a otras personas la ruta que iban a recorrer.

El día de la salida, el cielo estaba nublado, pero decidieron partir de todas formas. Después de navegar varias horas —y, por avatares del destino, en uno de los tramos lejos de la costa—, el viento empezó a soplar con fuerza y se cernieron sobre ellos nubes negras. Frente a ellos, a menos de una milla, había una tormenta eléctrica. Quedaron a su merced, con los rayos cayendo a su alrededor.

Pero Sam suele mantener la cabeza fría. Y lo que hizo —en medio de la tormenta, cuando en la mayoría de las personas hubiera cundido el pánico— fue sorprendente: se puso al pairo.

Colocó el barco proa al viento y las velas empezaron a flamear.

Luego miró a Robyn y empezaron a debatir qué hacer. Podían intentar volver. O rodear la tormenta. O esperar a que amainara. O podían intentar atravesarla.

La conversación no fue muy larga porque el tiempo se les echaba encima. Sopesaron las opciones y los riesgos y decidieron atravesar la tormenta. Había olas inmensas y Robyn se mareó, pero lograron salir de ella sanos y salvos.

Después de la travesía, nos reunimos para cenar, y le pregunté a Robyn si pensaba salir a navegar de nuevo.

«Mañana», repuso. Le comenté que Sam le debía de gustar mucho.

«Sí, es verdad», reconoció sonriendo. «Pero no es *solo* eso. Lo preparamos todo. Sabíamos que podíamos encontrarnos con una tormenta o con muchas otras cosas.»

«Y ¿sabíais cómo superarlas?»

«No. Al contrario. Sabíamos que había demasiadas contingencias para que un plan las pudiera prever todas. Sabíamos que deberíamos tomar decisiones al momento.»

Lo que necesitaban —y lo que tenían— era un plan para gestionar todo aquello que no sabían cómo gestionar. Cómo ser inteligentes sin ser engreídos.

«Creo que lo mejor que hizo Sam», continuó Robyn, «fue no fingir que sabía lo que estaba haciendo. Y le aprecio por eso. No simuló. No se precipitó a hacer cualquier cosa. Y no me empujó a hacer nada. Pero tampoco se quedó pasmado. Nos calmamos, hablamos y, aunque estábamos en una situación delicada y sin la información necesaria, tomamos rápidamente una decisión reflexiva.»

Esta es una de las mejores descripciones que puedo imaginar en el siglo XXI de un liderazgo consistente, y también de una forma de vivir.

Vivimos en un mundo con información imperfecta, con sorpresas garantizadas y contingencias impredecibles. Las tormentas, tanto metafóricas como reales, nos están esperando. Instintivamente, tratamos de predecirlas, pero es un propósito inútil. Tratar de erradicar los riesgos es una fantasía. Y aunque lo hubiéramos planeado de manera meticulosa, creer que estamos preparados para lo que nos pueda deparar el futuro es una locura. Las personas más efectivas son aquellas capaces de actuar en la incertidumbre.

Pero, si es imposible saber qué es lo que ocurrirá mañana, ¿cómo podemos prepararnos? Una manera de hacerlo, como he descrito en el capítulo anterior, es visualizar el fracaso para calmarnos y estar preparados para lo peor. Otra es prepararse para no estar preparado.

Frente a lo inesperado, te aconsejo lo siguiente:

1. Ponte al pairo.

Si la situación te obliga a tomar una decisión rápidamente, no lo consientas. Como hizo Sam en la tormenta, ponte proa al viento y deja que las velas flameen. Si estás en una reunión, haz una pausa para ir al baño. Si estás en la oficina, levántate y vete a caminar. En otras palabras, haz aquello que rara vez nos permitimos: cálmate y piensa. Paul Petzoldt, montañista legendario, ecologista y fundador del National Outdoor Leadership School, solía decir que lo primero que debe hacerse en una situación de emergencia —una vez que sea seguro— es fumarse un cigarrillo. Al menos, proverbialmente.

2. Considera qué opciones reales tienes.

No pierdas tiempo deseando que las cosas fueran diferentes o tratando de ajustar el plan que tenías a una situación nueva que no podías prever. Empieza con una tabla en blanco: piensa en el resultado que quieres dada la nueva situación, la información que tienes a mano y los recursos disponibles. Luego, sopesa las opciones.

3. Navega.

Basándote en estas nuevas consideraciones, toma una decisión y llévala a cabo. Aunque la decisión no sea ideal, aunque no conlleve todo aquello que esperabas al principio, acepta que es lo mejor bajo las nuevas circunstancias y ponte manos a la obra sin dudar.

No importa lo preparados que estemos, abrirnos paso en una nueva economía, en un nuevo mercado competitivo o en un nuevo equipo siempre nos pondrá en situaciones para las que no estamos preparados. Sentirse cómodo cuando actuamos en situaciones que no hemos anticipado es un activo inestimable.

Después de aquel día, Sam y Robyn siguieron navegando juntos y su relación fue creciendo. Un día, navegando por la inmensa calma del mar, Sam se arrodilló e, inesperadamente, le pidió a Robyn que se casara con él. Ella se calmó, aunque no por mucho rato, y luego, confiando en la experiencia de gestionar lo inesperado que había aprendido navegando, sabiendo que les esperaba una vida de sorpresas, dijo que sí.

> Deshazte del hábito de planificar cada situación futura. En lugar de eso, siéntete cómodo gestionando la incertidumbre, y reacciona a lo inesperado respirando hondo, tomando decisiones basadas en la mejor información que tengas en aquel momento y llevándolas a cabo.

• • • •

Segunda parte

Fortalece tus relaciones

En la primera parte, te he mostrado que calmarte, aunque solo sea cuatro segundos, es todo lo que necesitas para reiniciar tus hábitos mentales, tanto para aprovechar lo mejor de ti como para reaccionar de la mejor manera en una situación estresante. Ahora, el reto consiste en utilizar ese poder para relacionarte de forma más productiva y profunda con los demás. Es indudable que cuatro segundos me ayudaron a hablar con Sophia, mi hija de siete años, cuando me interrumpió para decirme que su hermano Daniel había inundado la cocina. Estaba a punto de gritarles, pero me calmé y respiré hondo.

Durante esa pausa de apenas unos segundos, miré el rostro de Sophia. Y, en ese momento, Daniel, mi hijo de cinco años, entró corriendo y también lo miré. Lo que vi en ellos fue miedo. Tuve claro de inmediato que sabían que lo que había ocurrido era malo. Realmente malo.

Sí, yo estaba enfadado. Sí, quería gritar. Pero me calmé durante el rato suficiente para preguntarme cuál era la reacción necesaria a esa situación. ¿Iba a servir de algo gritar? Mirándoles, supe la respuesta. Mis hijos ya sabían que algo había ido muy mal. No necesitaban que yo lo remarcara gritando. Eso solo iba a generar más estrés en una situación a la que le sobraba.

Es el poder de los cuatro segundos.

En los capítulos anteriores, he indagado en el valor de calmarse y resistirse a impulsos y tentaciones de actuar que, si se consideran detenidamente, no nos ayudarán a lograr lo que queremos. He propuesto estos cuatro segundos como una forma de superar los hábitos mentales contraproducentes y reemplazarlos por opciones más inteligentes. Y hemos visto cómo rechazar conductas que nos dejan exhaustos, abrumados y frustrados, y cambiarlas por otras que nos ayudan a potenciar nuestros puntos fuertes y a conectar con nosotros mismos.

En los siguientes capítulos, te mostraré cómo relacionarte mejor con los demás. Suele ocurrir que las personas conectan profundamente con ellas mismas —y pierden de vista a las demás— o conectan con otras, pero se pierden a sí mismas. Pero la verdadera fuerza proviene de hacer estas dos cosas a la vez. Estar conectado contigo mismo y, desde allí, conectar profundamente con los demás, es la clave para obtener resultados productivos y, también, la felicidad.

El problema es que, aunque anhelamos conectar con los demás, nuestro comportamiento habitual nos lo impide. En situaciones complicadas o estresantes, nos dejamos llevar por reacciones viscerales para ponernos a la defensiva, discutir o echarle la culpa a otros. Acabamos enajenados de nosotros mismos y de los demás.

En la segunda parte, nos centraremos en reemplazar los malos hábitos que nos impiden forjar relaciones sólidas por buenos hábitos que nos ayudarán a conectar profunda y pacíficamente con los otros.

Volviendo a lo que ocurrió en mi apartamento, cuando la tentación era casi invencible, no grité ni a Sophia ni a Daniel, ni les eché la culpa, ni les pregunté qué había ocurrido. Instantáneamente, me pareció claro que todo esto no iba a aportar nada.

«Vale, rápido», les dije mientras cerraba el ordenador y me levantaba, «¿qué tenemos que hacer?»

«¡Cerrar el grifo!», gritó Sophia. Resulta que había tanta agua en la cocina que tenían miedo de cruzarla para cerrar el grifo.

Así que, juntos, nos pusimos en el modo acción. Corrimos a la cocina, cogí a Daniel en brazos para que él mismo pudiera cerrar el grifo. Luego, pusimos todas las toallas de la casa y un par de mantas para que absorbieran toda el agua. Reaccionamos rápido y, en lugar de gritar y llorar, acabamos riendo mientras lo hacíamos.

En la segunda parte, te mostraré cómo fortalecer tus relaciones evitando las reacciones viscerales que te alejan de ti y de los demás, y te propondré nuevos hábitos y conductas que crean conexiones más profundas y plenas de sentido. También te enseñaré cómo relacionarte para que los demás se sientan escuchados, cómo hablar para que te escuchen y cómo gestionar situaciones y conversaciones delicadas con ponderación y confianza. Aprenderás lo siguiente:

- por qué, en contra de la sabiduría empresarial popular, de hecho *estás* en los negocios para hacer amigos;

- por qué discutir nunca resuelve los conflictos: solo apuntala opiniones;

- por qué una arenga es lo peor que puedes darle a alguien que ha experimentado el fracaso;

- por qué aceptar la culpa es un movimiento más inteligente que echársela a otros, y

- por qué escuchar lo que no se dice suele ser más útil que escuchar lo que se dice.

A medida que leas los capítulos de esta sección, aprenderás a conectar con los demás de manera más profunda y constructiva.

18 Una lección de mi suegra

Prioriza las relaciones personales

Susan Harrison, mi suegra, murió después de una larga y valiente lucha contra el cáncer. Como la mayoría de las personas, no era famosa. Si no la conocías, probablemente nunca hayas oído hablar de ella. Vivía en una comunidad relativamente pequeña de Savannah, Georgia.

Pero logró algunas cosas increíbles allí: fue la primera mujer en ser ordenada diácono en Georgia, fundó un comedor de beneficencia y también ayudó a crear la Savannah Homeless Authority. Además, crió a tres hijos y, alguno podría añadir, a un marido.

Uno de los problemas que tuvimos cuando falleció fue encontrar una iglesia lo bastante grande como para que cupiera toda la gente que quería ir a su funeral. Escogimos la más grande que pudimos encontrar, con espacio para que se sentaran seiscientas personas y, aun así, muchos debieron quedarse de pie en la entrada o en los pasillos.

Susan tenía una cualidad especial para atraer a la gente. No se trataba de todo lo que había logrado. No era el dinero. No se relacionaba con personas famosas o importantes. No podía contratarte. No podía facilitarte las cosas para escalar profesionalmente.

Susan era, sencillamente, una muy buena amiga.

Ser un buen amigo es un arte. Tienes que entregarte, pero no tanto como para llegar a perderte. Tienes que saber lo que quieres y luchar por ello, al tiempo que ayudas a los demás a lograr lo que quieren. Debes tener personalidad y apoyar y dejar espacio a la personalidad de los demás. Tienes que preocuparte, e incluso amar, a personas con las que tal vez no estés de acuerdo (estoy bastante seguro de que no votaba a los mismos políticos que su marido). Debes estar dispuesto a dar tanto como recibes, sino más.

Cuando se trata de forjar amistades en ámbitos laborales tan competitivos, a menudo nuestro instinto es mantener a las personas a distancia. Solo con mirar un episodio de cualquier programa de telerrealidad que se base en una competición —*El aprendiz*, *Supervivientes*, *Top Chef*, *America's Next Top Model*, *The Bachelor*, *El Gran Reto* (no importa cuál)—, oirás una frase muy recurrente:

«¡No estoy aquí para hacer amigos!»

Al parecer, muchos de los concursantes creen que para ganar no deben preocuparse por el afecto de los demás. Como dijo elocuentemente un concursante de *El aprendiz*: «No es nada personal. Es un jo—do negocio».

Y aunque creamos que es mejor colaborar con los demás que ser un desalmado, muchos no dedicamos tiempo a construir las amistades sólidas y que te prestan apoyo que caracterizaron la vida de Susan. Estamos demasiado absortos en nuestras propias vidas, demasiado ocupados con nuestros propios objetivos y demasiado concentrados en ser productivos para dedicar tiempo a los demás.

Pero ¿es esta la forma más inteligente y productiva de conducirse en la vida?

Según las investigaciones, dar a los demás —una manera fiable de fomentar la amistad— nos hace más felices que darnos a nosotros mismos. Según las investigaciones dirigidas por la doctora Elizabeth Dunn en la Universidad de Columbia Británica, el dinero efectivamente nos puede dar la felicidad, pero siempre que lo gastemos en otros.[8]

Los investigadores llevaron a cabo tres estudios. Primero, encuestaron a más de seiscientos estadounidenses y descubrieron que gastar dinero en regalos y ayudas comportaba más felicidad que gastárselo en uno mismo.

Luego se fijaron en empleados que habían recibido primas y descubrieron que su felicidad no se basaba en la cantidad de las primas, sino en las decisiones que tomaron sobre qué hacer con el dinero que recibieron. Aquellos que gastaron el dinero de las primas en otros estaban más felices que los que se gastaron el dinero en sí mismos.

Por último, los investigadores dieron dinero a varias personas, y les ordenaron que unos gastaran el dinero en sí mismos y que otros lo gastaran en los demás. Al final del proceso, los que habían gastado el dinero en los demás estaban más felices.

De modo que tener amigos y tratarlos de forma generosa sin duda es una estrategia ganadora en la vida. Pero ¿necesitamos amigos en los negocios?

Bueno, observemos los datos. Si estás buscando trabajo, por ejemplo, será mejor que tengas amigos. La principal forma para encontrar un nuevo trabajo es gracias a las referencias de los amigos.

Una vez en el puesto de trabajo, tener un buen amigo en la empresa es un indicador fiable de éxito. Se puede definir «buen» de manera laxa (recuerda el parvulario, donde tenías más de un «buen» amigo), pero según un estudio de la organización Gallup sobre más de cinco millones de empleados mayores de treinta y cinco años, el 56 por ciento de los que dijeron que tenían un buen amigo en la empresa estaban comprometidos, eran productivos y tenían éxito, mientras que si no lo tenían la cifra se reducía al 8 por ciento.[9]

Otro estudio notable,[10] que se prolongó durante décadas, reveló que las amistades en el instituto era un indicador fiable de tener un salario alto en el futuro, alrededor de un 2 por ciento por cada persona que te consideraba un amigo íntimo. En otras palabras, si en el instituto tres personas te consideraban un amigo íntimo de su mismo sexo, tus ganancias en la edad adulta deberían ser un 6 por ciento más altas.

¿Quieres permanecer en el puesto de trabajo que tienes? Pues lo mejor será que tengas amistades. Como me comentó no hace mucho un amigo que es jefe de ventas de una exitosa empresa tecnológica: «La gente trata de no despedir a sus amigos. Es la diferencia entre "Es un buen tipo" y "No sé quién es ese tipo"».

Durante sus últimos días, Susan estuvo rodeada permanentemente de sus amigos y familiares. En aquellos momentos, logró darnos algún consejo. ¿Qué dijo antes de marcharse? «Rodéate de una comunidad de gente que te quiera.»

Es decir, no creo que nos equivoquemos si pensamos que realmente estamos aquí para hacer amigos.

> El impulso de ser productivo a menudo nos lleva a subestimar nuestras amistades, pero fomentar relaciones sólidas con los demás es una de las claves para mantener un éxito prolongado.

• • • •

19 Lo difícil empieza después de la conferencia

Muestra a los demás cómo eres realmente

A menudo me siento fuera de lugar cuando voy a una convención. Renuente a acercarme a un extraño y presentarme, permanezco, como solía hacer en las fiestas universitarias, demasiado cohibido, con una botella de agua con gas en la mano y sin mezclarme. En medio de un montón de gente que charla con entusiasmo, yo me siento incómodo y solo.

Pero cuando el avión procedente de Nueva York aterrizó en Austin, Texas, en donde iba a participar en el congreso interactivo South By Southwest (SXSW), estaba emocionado. Tenía que hablar en una mesa redonda y, como todo el mundo me había dicho que SXSW era la bomba, me regalé un día extra para descubrirlo por mí mismo.

No obstante, no resultó ser como había esperado. Llegué con el tiempo justo para la mesa redonda, después asistí a un acto para firmar libros y luego, en fin, llegó el momento de la convención. Fui a una fiesta y la timidez me impidió abrirme y conocer a otras personas.

Estaba irritado conmigo mismo. ¿Qué me pasaba?

Así que estaba a punto de irme cuando pensé que, en lugar de juzgarme, ¿por qué no me lo tomaba como una oportunidad de explorar una emoción incómoda? De modo que no me marché y analicé a qué sabe la incomodidad.

Era incómoda.

Pero, muy pronto, sentí algo más profundo tras mi timidez, algo más dañino. Una vez acabada mi participación en la mesa redonda, no tenía ningún papel que desempeñar ni ningún objetivo. Me di cuenta de que cuando no estoy haciendo algo, no estoy seguro de quién soy. ¡Sufría una crisis de identidad provocada por un congreso!

La concepción que tengo de mí mismo está peligrosamente ligada a lo que hago. Soy escritor, conferenciante, asesor, padre, marido, esquiador, y muchas más cosas. Pero ¿quién soy cuando no estoy haciendo activamente nada de esto? ¿Quién soy sin lo que hago en el pasado, en el presente, en el futuro?

Sencillamente, yo. Lo cual, en ese momento, me pareció desconcertante.

No creo que sea el único. Por esta razón, un minuto después de conocer a alguien, empezamos a definirnos por lo que hacemos, nuestra posición laboral y las relaciones que tenemos con los demás. Nos parece que necesitan esta información para conocernos, pero, sin nadie con quien hablar en esa fiesta, me di cuenta de que me estaba engañando. Los demás no necesitan esta información para conocerme. Yo necesito esta información para conocerme.

Cuando comprendí el origen de la incomodidad, resistí la tentación de decir mi nombre completo, o de explicar que acababa de participar en un debate o escribir un libro, o cualquier otra cosa que identificara un papel sólido que me haría sentir bien.

En lugar de ello, presté atención a qué se sentía cuando no se tiene otra identidad más que la propia presencia. Me di cuenta de que deseaba que los demás se fijaran en mí y percibí mi inseguridad. Pero también me di cuenta de la fuerza y la confianza que me daban estas observaciones y yo mismo. Comencé a relajarme y, una vez calmado, ya no me sentí para nada inseguro.

Luego ocurrió algo extraño. Los demás empezaron a acercarse.

De la nada, una mujer se aproximó a mí, se presentó y comenzamos a charlar. Luego, le dijo a una compañera que se sumara a nosotros. No sabían quién era yo ni querían nada de mí, ni yo de ellas. Éramos simplemente tres personas que habían conectado. Cuando se fueron, se aproximó un hombre. De nuevo, me presenté con mi nombre, pero no mencioné nada de mi trabajo. Y, de nuevo, charlamos de maravilla y tuvimos una conexión humana.

No le comenté a nadie que soy escritor o que dirijo una empresa de asesoría, ni nada que describa lo que hago. Solo les dije que me llamaba Peter. Y ellos solo me dieron sus nombres. A algunos les costó, especialmente en una convención donde tendemos a definirnos por lo que hacemos y donde las personas charlan entre ellas mientras miran a su alrededor por si hay alguien más útil con quien hablar.

Pero es un error soltar de sopetón tu plan de negocio cuando conoces a alguien, incluso en una convención donde el objetivo es vender tu plan de negocio. Las personas primero invierten en ti; y, luego, en tu plan. Así que primero muéstrate y después explícales el plan.

Esta es la razón por la que dejar de lado lo que hacemos —al menos, al principio—, en una convención o cuando queremos algo de los demás, es tan buena idea. Los demás confiarán en ti si tú confías en ti. Y para confiar en ti mismo debes salir al escenario. Debes exponerte, y debes estar dispuesto a ser vulnerable. Cuando permites que los demás te vean —tan impresionante y tan vulnerable como eres—, entonces confiarán en ti. Y confiarán en ti porque te conocen.

Entonces, ¿cómo puedes entablar una conversación, en una convención en la que no conoces a nadie, sin decir qué es lo que haces? No es fácil. Estarás nadando contracorriente. Intenta hacer preguntas abiertas, intenta entrar en cuestiones personales. Al final, sabrás más cosas de tus compañeros y ellos también sabrán más de ti.

Una convención —o la vida, por otro lado— es solo un montón de personas que se encuentran con otros seres humanos. Y la mayoría se sienten incómodos. Y a la mayoría les gustaría que los vieran como lo que son, no solo por los cargos que desempeñan. Es lo que podemos ofrecernos los unos a los otros.

Puede que sea un poco raro al principio, pero creo que es la mejor opción si queremos tener una experiencia plena en una situación que a menudo nos deja vacíos. Que nos conozcan por lo que somos, no solo por lo que hacemos, es bueno para nosotros, y también puede ser muy aconsejable para nuestros negocios.

> Cuando conozcas a alguien, no te definas por lo que haces o por los títulos que tienes, ni quieras dar una impresión particular. En lugar de esto, arriésgate a ser sencillamente tú mismo y date cuenta de qué buena conexión crea.

● ● ● ●

20 La dejó con un mensaje de texto

No dejes que el envoltorio te distraiga del mensaje

Eleanor y yo llegamos a casa después de cenar una noche y nos encontramos a Leslie, la canguro, llorando.

«¿Todo bien con los niños?», pregunté.

«Sí. Han estado durmiendo todo el rato. No es eso.»

«¿Quieres que hablemos de lo que te pasa?», inquirí.

«Me ha dejado con un mensaje de texto», repuso, con el teléfono en la mano. Había estado quedando con Ned durante algunas semanas y se habían cogido mucho cariño enseguida. El texto diciéndole que la dejaba la había pillado por sorpresa.

«¿Con un mensaje de texto?», pregunté. No había conocido a Ned, pero le tomé manía de inmediato por esta acción tan cruel.

«¿Ha roto contigo?», preguntó Eleanor, por su parte.

Tan pronto como la oí, me di cuenta del error que yo había cometido. Un error que cometemos muchas personas cuando hablamos de algo sensible, lo que incluye prácticamente todo.

Confundimos el envoltorio con el mensaje. Nos distrae tanto la forma extraña, a veces inapropiada, con la que se comunica alguien, que pasamos por alto que esta persona se está comunicando.

No solo es el modo de comunicación. A veces es el tono de voz, un grito, un comentario sarcástico, o un conjunto particular de palabras. Una pregunta sencilla como «¿Cómo has llegado a esta conclusión?» se puede tomar como un desafío, una acusación, un apoyo, una pregunta curiosa o cualquier otra cosa.

Con el texto de Ned para dejar a Leslie, yo me centré en el *envoltorio*: qué poco elegante es dejar a alguien con un mensaje de texto. (Por cierto, y solo para que quede constancia, creo que *es* muy poco elegante dejar a alguien con un mensaje de texto.) Pero Eleanor vio más allá. Se fijó en el mensaje en sí: lo que Ned trataba de decir con el texto.

La tendencia a fijarnos en el envoltorio más que en el mensaje es muy común y diezma nuestra productividad. Por ejemplo, mi amigo Malcolm, llevaba unos pocos meses en su nuevo trabajo, cuando confesó que tenía miedo de escribir correos electrónicos a sus nuevos compañeros.

«Parece que todo es politiqueo», me dijo Malcolm. Luego imitó a algunos de sus compañeros: «¿Por qué pusiste en copia a aquella persona? ¿Por qué no me pusiste a mí en copia? ¿Por qué hablaste del tema del presupuesto?» Puso los ojos en blanco mientras musitaba: «Me paso la mitad del día intentando escribir los correos sin ofender a nadie. ¡Qué pérdida de tiempo! La verdad, es más fácil y más efectivo simplemente no escribir correos».

He aquí la cuestión: todos somos comunicadores torpes, tanto en lo que decimos como en lo que oímos. Súmale las diferencias culturales, religiosas, geográficas, de género, de edad, de lengua y socioeconómicas, y resulta un milagro que nos podamos entender. Nuestras limitaciones como comunicadores son la razón por la que nos confundimos, nos decepcionamos, nos enfadamos, sospechamos o nos molestamos con tanta gente.

¿La solución? Prueba esto:

Date cuenta: siempre que sientas una emoción negativa por algo que hayan dicho o escrito de ti, tal vez sea una señal de alarma de que te está confundiendo el envoltorio. Si sientes indignación, tristeza, frustración, desagrado o incredulidad, sabrás que es el momento de continuar con el paso 2.

Cálmate: respira hondo. Luego, reconoce que eres susceptible de reaccionar emocionalmente a *cómo* se ha comunicado algo, y recuerda que expresarse es algo difícil y que a menudo se hace mal. Sé más tolerante contigo y con los demás. No des por supuesto que ha sido malintencionado. No te lo tomes como algo personal. Resiste la tentación de sentirte ofendido.

Interpreta: vuelve a leer lo que han escrito, o reflexiona sobre lo que han dicho, y desentráñalo. Piensa en qué *intentaban* decir. Busca la parte positiva. Esfuérzate por comprender.

Responde: una buena regla es utilizar un medio diferente que el que ha provocado tu respuesta emocional. Si un texto te molesta, no respondas con otro texto. Si un correo te indigna, coge el teléfono. Y cuando respondas, no te centres en la forma, sino en el mensaje.

Como norma general, da por supuesto que todos somos torpes comunicadores. Imagínate a alguien que tiene prisa, que trata de hacer muchas cosas a la vez, alguien a quien no se le da bien expresarse con exactitud. Da por supuesto que no es un idiota. Pasa por alto la falta de elegancia. Luego, cuando llegue el momento de responder, aborda el tema de fondo y no la forma.

Tan pronto como me di cuenta de que me había confundido el hecho de que Ned utilizara un mensaje, cambié de actitud, adopté la táctica de Eleanor y le pedí a Leslie que nos leyera el texto de Ned. Cuando desentrañamos el mensaje —cuando leímos entre líneas—, vimos claro que Ned estaba abrumado por sus sentimientos. Necesitaba ir más lento. Pero también era evidente que de verdad le gustaba Leslie.

Después de hablarlo entre los tres, Leslie decidió no darle importancia a que Ned hubiera utilizado un mensaje de texto y decidió llamarlo para que le contara lo que estaba sintiendo. El mensaje de texto de Ned resultó ser un regalo. Un regalo que Leslie casi rechaza porque el envoltorio era horrible.

Pero se tomó el tiempo de desenvolverlo y esto le llevó a una conversación. Luego a un paseo. Después a una cena. Y, por último... bueno, es un envoltorio que solo el tiempo desenvolverá.

> Al tratar de seguir el ritmo vertiginoso de nuestras vidas nos convertimos en comunicadores torpes. Que no te distraiga ni te ofenda cómo te comunican o te envían el mensaje. Mira el lado positivo, ve más allá de cómo se comunican contigo y responde a la cuestión de fondo.

• • • •

21 Cuando tenga setenta y siete, quiero ser como tú

Déjate inspirar por los demás

Estaba haciendo pesas en el gimnasio, en un centro comunitario de Nueva York, cuando me fijé en él.

Se llamaba, como supe después, Marvin Moster. Medía alrededor de un metro sesenta, era más bien calvo con pelo canoso a los lados de la cabeza, se dejaba bigote y llevaba una camiseta azul cielo y unos pantalones cortos azul marino. No era alguien que destacara especialmente, pero yo no podía dejar de mirarlo.

Era mayor —supuse que tenía unos setenta años— y estaba boxeando con un entrenador, dando puñetazos con un ritmo que era evidente que habían practicado antes y esquivaba los ganchos que le soltaba el entrenador. Hubo dos cosas que me dejaron atónito: estaba en una forma excelente —lo podía ver por su equilibrio, su ritmo y el vigor de los golpes— y se lo estaba pasando en grande.

«¿Qué edad tienes?», le pregunté cuando hizo una pausa.

«Setenta y siete», respondió sonriendo.

«Cuando tenga setenta y siete, quiero ser como tú», repliqué.

Sonrió de oreja a oreja.

«Yo quiero ser como tú ahora.»

Su risa era contagiosa. Solo notar su energía me hizo sentir bien, transmitía entusiasmo. Al menos en aquel momento, parecía estar encantado consigo mismo. Entonces se me ocurrió algo.

«¿Puedo hacerte una foto?», pregunté.

«Claro», dijo. «¿Para qué?»

Saqué el teléfono y posó alzando los guantes.

«Te quiero poner en la nevera», repliqué.

No conozco a Marvin. No sé si está sano o tiene alguna enfermedad, si es rico o pobre, si está feliz o infelizmente casado, soltero, divorciado o si es viudo. Desconozco sus opiniones políticas e ignoro quiénes son sus amigos, si es gay o heterosexual, o qué hace además de ir al gimnasio. Ni siquiera sé si es buena persona.

Pero sé que quería algo de lo que desprendía: su energía, su aspecto radiante. Así que le tomé una foto. Lo cual me hizo pensar: «¿Por qué no empezar a coleccionar imágenes de personas normales, de las que sé muy poco, pero que me inspiran una cualidad que me motiva?»

Como el conductor de autobús de París, quien, después de que le preguntara en qué parada debía bajarme para llegar a mi hotel, me preguntó la dirección exacta y en un semáforo sacó su móvil para consultar un mapa y sugerirme la parada más cercana.

O la taxista que no podía llevarme al aeropuerto porque acababa su turno, pero que aparcó el coche, salió de él y esperó hasta encontrar un taxi que me llevara.

Son personas normales en situaciones normales que me sorprendieron y me inspiraron. Quiero que su marca permanezca en mí.

Pero un momento. En este libro he estado escribiendo sobre personas importantes. Personas como el difunto doctor Allan Rosenfield, el pionero de la sanidad pública cuya labor salvó a millones de personas en los países desarrollados. ¿No debería estar él en mi nevera en lugar del modesto conductor de autobús?

Tal vez. Pero acordarme del conductor de autobús puede condicionar mi conducta de hoy. Puedo mirar su foto y ser más útil para los demás. Me recuerda algo sencillo que puede motivarme. Y lo mismo ocurre con Marvin.

No estoy diciendo que estas personas deban inspirar a todo el mundo ni que tú tengas que poner una foto de ellas en la nevera. No estoy insinuando que elaboremos un modelo de liderazgo basado en su ejemplo. Me refiero a que mantengas los ojos abiertos para encontrar a tu Marvin. Y cuando lo encuentres, sácale una foto.

Tal vez esta idea parezca simple. Los seres humanos somos complejos. Si de verdad conociera a esas personas, quizá no querría tenerlas en mi nevera. No sé por qué boxea Marvin. ¿Tal vez pasó cuatro años en prisión por un crimen abyecto y se está poniendo en forma para cometer otro? Lo más probable es que proyecte características que me gustan en otra persona. Con franqueza, no puedo decir que esta inspiración no esté más vinculada a mí que a los demás.

Pero esta es la cuestión: siempre estamos proyectándonos en los demás. Lo que ocurre es que solemos estar más dispuestos a ser críticos con una persona que a inspirarnos en ella, es decir, proyectamos en los demás características más negativas que positivas.

De hecho, parece que nos cueste perder una oportunidad para decepcionarnos. Nos fijamos en lo que los demás hacen mal, en sus debilidades y limitaciones. Chismorreamos y nos quejamos de ellos. Nos frustramos, nos volvemos pasivos-agresivos. Siempre nos pasman los defectos de quienes nos rodean: ¿cómo ha podido hacer eso?

Pero ¿y si, en lugar de, o además de, no perder la oportunidad para fijarnos en los defectos de otros, nos dejáramos inspirar por ellos con la misma frecuencia? ¿Y si chismorreáramos sobre lo que nos gusta de ellos en lugar de sobre lo que nos molesta? ¿Y si buscáramos chispas que encendieran nuestro entusiasmo y estimularan nuestra buena voluntad? ¿Y si dejáramos que estas chispas alimentaran el fuego de la pasión?

Como mínimo, nos sentiremos mejor con las personas que nos rodean en el mundo, y con nosotros mismos, aunque solo sea por un rato.

Y, quizá, después de unas semanas o meses, acabaremos con las puertas de las neveras llenas de recuerdos de personas que nos inspiran, que puede que no sean un modelo de vida —tampoco hay que poner el listón tan alto—, pero que nos pueden dar destellos de inspiración.

Cada vez que miro la foto de Marvin me hace sonreír. Y me anima a comer un poco mejor y a hacer un poco de ejercicio.

Así que ¿a quién tienes en la nevera?

> No te dejes llevar por el instinto de ver defectos en los demás; en lugar de esto, escoge algo de ellos que te impresione positivamente. Encuentra inspiración en las pequeñas cosas que hacen.

● ● ● ●

22 Una lección de mi madre

No des a nadie
por perdido

¿Qué haces cuando la comunicación con otra persona llega a un callejón sin salida?

Jim es un amigo y compañero al que llevaba un año sin ver. Estaba pasando una mala temporada, y yo lo había llamado a menudo mientras trataba de mantener su negocio a flote. La última vez que lo vi, me pidió, como un favor, que fuera a ver a uno de sus clientes, Ed. Le dije que sí. Pero, cuando fui al despacho de Ed pocos días después, la recepcionista me informó de que estaba en el extranjero. Me había estado esperando el día anterior, me explicó, y le molestó que no me presentara. Me disculpé y me fui.

Llamé de inmediato a Jim y al repasar los correos se dio cuenta de que se había equivocado al escribirle el día a Ed. Le dije que me sentía avergonzado y que por favor enviara una nota escrita a mano para disculparse con el cliente y explicarle el malentendido. Me prometió que lo haría.

Después de lo ocurrido, no volvimos a hablar del asunto. Los problemas de su empresa habían monopolizado nuestras conversaciones. Unas semanas después yo iba a dar una conferencia en un congreso y esperaba que Ed estuviera allí. Quería saber cómo se había solucionado todo. Al ver a Jim en una fiesta le pregunté si había escrito la nota. Se enfadó y se me puso a gritar: «No, no escribí la nota. Peter, estoy en la ruina. No he tenido ni un minuto libre, ¿no puedes entenderlo?»

Me sentó fatal, me hirió. Murmuré algo y me aparté de él. Pero no podía sacármelo de la cabeza. ¿Por qué me había gritado?

Siempre he creído que si hablas con alguien, al final acabas entendiéndote, así que me volví a hablar con él.

«Jim», empecé, «sé que ha sido un año duro, pero ¿por qué la cargas conmigo? Te he preguntado sobre la nota porque es posible que vea a Ed en un congreso. La nota no me importa tanto, pero tu reacción me ha molestado de verdad.»

«¿Qué quieres que te diga?», replicó. «Lamento que te haya molestado.»

Lamento que te haya molestado. No se disculpó por pedirme un favor y luego ponerme en una situación comprometida. No se disculpó por no escribir la nota. Ni siquiera se disculpó por su reacción. Lo único que hizo fue reconocer que su reacción me había molestado, lo que me molestaba aún más.

Intelectualmente, puedo comprender la situación. Que tu empresa se vaya a pique pone de los nervios a cualquiera, es una situación tensa y muy complicada. Desde este ángulo, la pregunta por la nota parece trivial y fuera de lugar. A esto se suma el disgusto por no haber cumplido con lo que prometió, y el resultado fue una ira que equivocadamente dirigió hacia mí. Lo entiendo. Pero, en el plano emocional, me pareció una traición a todo lo que había hecho por él durante ese último año. Y me dejó pensando: ¿y ahora qué?

Podía intentar hablar de nuevo con él, pero estaba bastante seguro de que no cambiaría nada y de que yo me sentiría aún más ofendido.

Podía hablar con otros sobre lo sucedido, escuchar sus opiniones, quejarme. Pero no quiero ser este tipo de persona.

O sencillamente podía darlo por perdido. Pero frecuentamos los mismos círculos y tarde o temprano acabaríamos encontrándonos. Y no quería sentirme incómodo cada vez que estuviéramos en la misma sala. Y, en cualquier caso, ¿de verdad quiero dejar de ver a todo aquel cuyas acciones me hieran? Soy muy sensible, seguramente acabaría solo. Por último, y tal vez sea lo más importante, me gusta mucho Jim. Ha sido un gran amigo durante veinte años y me encanta estar con él. Es divertido, interesante y muy cercano. No quiero perder su amistad.

El resto de la fiesta fue extraño, y me fui sintiéndome mal y sin saber qué hacer. Al final, llamé a mi consejero más inteligente.

Mi madre está rodeada de gente que la quiere. No hace mucho me contó que estuvo saliendo con alguien que la traicionó. A sus espaldas, trató de comprar un objeto exclusivo que le habían prometido a ella. El vendedor mantuvo el compromiso con mi madre, y ella mantuvo la relación tanto con el vendedor como con el traidor. ¿Cómo lo superó?

«Sé lo que puedo esperar de él», me explicó. «Él es ese tipo de persona.»

«¿Alguna vez hablasteis de ello?», le pregunté.

«No», respondió. «¿Por qué debería hacerlo? No cambiaría nada. Él seguirá siendo igual. Y hablar de ello no lo arreglará.»

«Pero ¿cómo puedes seguir citándote con él? ¿No te molesta verlo?»

«Estoy demasiado cansada para enfadarme cada vez que alguien hace algo que no me gusta. Y no quiero aislarme de los demás. Lo aprecio por otras cualidades. Pero sé qué esperar de él.»

Mi madre es una mujer con mucha experiencia. ¿Su consejo?

Que viva con ello.

La reacción de Jim no tenía nada que ver conmigo, sino con él. Y yo vivo en el espacio que hay entre dejar de hablarle y tratar de arreglar las cosas hablando con él. Este espacio se llama aceptar a los demás tal como son.

La reacción de Jim me explica cosas de Jim. Tiene fama de gritar a los demás y de usar la ira para intimidar y eludir sus responsabilidades. Sencillamente, nunca antes lo había hecho conmigo. Forma parte de su personalidad. Tal vez cambie, pero no voy a contar con ello. Mi relación con él me da información que me sirve para saber qué esperar de él en el futuro.

Y no solo voy a esperar gritos. Además, al saber qué puedo esperar, aprecio las partes que me gustan de Jim sin distraerme por las que no me gustan. Lo acepto completamente por lo que es, sin hacerme ilusiones. Y, en nuestra relación, puedo salvaguardarme cuando actúa de formas que no me gustan.

En retrospectiva, creo que le preguntaría igual si había escrito la nota, pero, cuando me gritó, debería haber respondido: «Ya sé que este año ha sido duro para ti, y lamento que estés pasando por esto. Comprendo que no escribieras la nota. Pero es bueno saberlo por si la semana que viene veo a Ed en la conferencia». Y dejarlo ahí. Sin dolor. Sin enfado. Sin eludirlo. Sin una reacción pasiva-agresiva: simplemente aceptando la situación y a Jim.

Mi relación con Jim, ¿será más superficial ahora? Al principio, estaba seguro de que así sería, pero voy a esforzarme para que esto no ocurra. Las personas son imperfectas, entre ellas el traidor de mi madre y Jim, y también yo mismo. Por eso es importante no darle por perdido. Si lo hiciera, también acabaría dándome a mí mismo por perdido. Aceptar sus limitaciones me permite aceptar las mías.

Y esto también comporta aceptar el hecho de que hay situaciones que no puedo resolver con *más* comunicación.

> Resiste el impulso de dar por perdido a alguien que te ha herido o te ha decepcionado. La mayoría de las veces no te está traicionando. Es imperfecto y lucha con sus problemas. Acepta a la persona y sus limitaciones, y pasa página.

● ● ● ●

23 La inevitable multa de tráfico

Evita discutir

Era la hora de comer, y siete personas —dos niños y cinco adultos— íbamos a compartir las siguientes tres horas en el coche para ir desde Nueva York a Connecticut, donde pasaríamos el fin de semana. Decidimos comprar algo de comida para llevar en un lugar que está en la esquina de la calle Ochenta y ocho con Broadway. Aparqué frente al establecimiento y entré para pedir la comida.

Casi de inmediato, mi hija Isabelle, que por entonces tenía ocho años, vino corriendo.

«¡Papá! ¡Ven, rápido! ¡La policía te está poniendo una multa!»

Salí como un rayo.

«Espere, no me ponga la multa. Lo muevo enseguida», le propuse a la agente.

«Demasiado tarde», replicó.

«¡Venga ya! Solo lo he dejado tres minutos. Haga el favor.»

«Ha dejado el coche delante de una parada de autobús», y señaló media manzana más abajo.

«Pero si la parada está a media manzana…», protesté.

No dijo nada.

«¡Está de broma!», exclamé alzando los brazos.

«Cuando empiezo a escribir la multa, ya no puedo echarme atrás». Me la entregó.

«Pero ¡si ni siquiera nos ha pedido que nos movamos! ¿Por qué no nos lo ha pedido?» Yo seguí discutiendo, pero ella ya se estaba marchando.

Entonces fue cuando se me ocurrió: discutir es una pérdida de tiempo. No solo en esta situación, con un policía. Me refiero a discutir con quien sea, donde sea, cuando sea. Es una táctica perdedora garantizada.

Piénsalo. Tú y otra persona tenéis una visión opuesta sobre un asunto determinado y os ponéis a discutir. Finges que la escuchas, pero lo que realmente haces es buscar el punto débil de su argumento para poder rebatirlo. O, tal vez, si ella ha refutado un punto anterior, estás pensando en cómo oponer un argumento. O quizá te lo has tomado de forma personal: no es solo el argumento, sino que es esa persona en cuestión y todo aquel que esté de acuerdo con ella.

En algunos casos raros, puede que consideres que el argumento de la otra persona tiene mérito. Entonces, ¿qué? ¿Cambias de opinión? Seguramente, no. En lugar de ello, analizas la cuestión para hallar el argumento correcto que pruebe que se equivoca.

Al pensar en todas las discusiones que he tenido —discusiones políticas, discusiones religiosas, discusiones con Eleanor, con mis hijos, con mis padres o con mis empleados, discusiones sobre las noticias, sobre una idea de negocio, sobre un artículo o sobre una forma de hacer algo—, veo que, al final, cada persona deja de discutir con la sensación, en muchos casos mayor que antes de comenzar, de que estaba en lo cierto.

¿Qué probabilidades hay de que cambies de opinión en medio de una discusión? ¿O de que aceptes del punto de vista del otro cuando te está machacando con él?

Discutir produce un resultado predecible: afirma la posición de cada uno, que, por supuesto, es precisamente lo contrario que quieres conseguir con la discusión. También es una pérdida de tiempo y perjudica las relaciones personales.

Solo existe una solución: dejar de discutir. Y resistirse, en primer término, a la tentación de empezar una discusión.

¿Y si alguien trata de meterte en una discusión? No muerdas el anzuelo. Cambia de tema o, educadamente, hazle saber al otro que no quieres ponerte a discutir.

¿Y si estás en plena discusión y te das cuenta de que no va a ninguna parte? Entonces no te quedará otra opción que utilizar tu arma sorpresa. La defensa más efectiva posible, que garantiza superar cualquier discusión: escuchar.

Sencillamente, escucha lo que quiere decir la otra persona sin intentar refutarla. Si te interesa, puedes hacer preguntas, pero no para demostrar que está equivocada, sino para comprenderla mejor.

Escuchar tiene el efecto opuesto a discutir. Discutir provoca que las personas se cierren. Escuchar hace que se calmen. Y, luego, se abren. Cuando sienten que las escuchan, se relajan. Se sienten generosas. Y les empieza a interesar lo que dicen los demás. Y es ahí cuando tienes la oportunidad de hacer lo imposible: cambiar de opinión —tal vez la tuya propia—, porque escuchar, en lugar de discutir, es la mejor manera de cambiar los puntos de vista.

Luego, cuando quieras zanjar la conversación, di algo como «Gracias por darme tu opinión», o «Deberé pensar sobre ello», y puedes irte o cambiar de tema.

No estoy diciendo que te dejes amedrentar. El fin de semana pasado estaba esperando en una cola cuando un hombre se me puso delante. Le dije que eso no era correcto, y él se me puso a gritar, diciéndome a mí y a todos los demás que había estado allí todo el rato, lo cual era una mentira flagrante. Empecé a discutir con él, lo cual fue un acto inútil que solo logró aumentar la tensión.

Al final, una mujer se limitó a trazar un límite. Dijo: «No, no se puede usted colar cuando los demás estamos esperando», se colocó delante de él y lo ignoró. Todos los demás hicimos lo mismo y el hombre acabó en el final de la cola. Discusión: 0. Límites: 1.

Cuando me conecté a Internet para pagar la multa de tráfico, traté de quejarme. Sin embargo, antes de ponerme a argumentar el porqué, apareció una pantalla que me ofrecía un trato: pagar la sanción con un 25 por ciento de descuento o recurrir y, si perdía, pagar el monto total. Yo pensé que tenía razón, así que recurrí y unas semanas después, perdí.

La próxima vez, aceptaré el trato.

> La próxima vez que estés al borde de una discusión, aléjate: nunca saldrás ganando. Si estás metido en una, cambia de táctica y escucha: es la única forma de cambiar la opinión de la otra persona.

· · · ·

24 No le eches la culpa al perro

Carga tú con la culpa

Estaba en una fiesta, en Nueva York, en el Greenwich Village. Había un montón de gente, al menos el doble de la que cabía en aquel lugar. Entre ellos, también rondaba un perro. Pero era un encuentro informal, y pasábamos mucho rato en la cocina, cocinando y limpiando.

Yo me encontraba en el fregadero, lavando platos, cuando oí al perro aullar detrás de mí. Me giré justo a tiempo para ver a una mujer maldecir al animal, que ya estaba saliendo de allí. Le había pisado la pata o la cola, eso estaba claro.

«¡Fíjate por dónde vas!», le gritó al perro. Luego me miró y añadió: «Siempre está en medio».

¿En serio? ¿Pisas al perro y luego le culpas a él? ¿Quién es capaz de hacer esto?

De hecho, casi todo el mundo.

Empezamos a culpar a los demás desde que somos pequeños, normalmente para escapar de una bronca o castigo de nuestros padres, pero también para preservar nuestra autoestima o la imagen que tenemos de nosotros mismos. Repetimos esta conducta hasta bien entrada la edad adulta. No paro de ver en las empresas —y estoy seguro de que tú también— a personas que no hacen más que señalar con el dedo.

A veces, ocurre entre departamentos: un departamento de ventas en aprietos echa la culpa a un producto malo, mientras que los del departamento de producción achacan el poco éxito a un equipo de ventas ineficaz, o tal vez a una fabricación defectuosa. Culpar a un departamento o a un producto parece más seguro que culpar a una persona, que es algo mucho más determinado, y puede pasar como un intento de mejorar la empresa, y no como un acto puramente defensivo. Pero es contraproducente, porque la transparencia de la culpabilidad traiciona cualquier disfraz.

Hace algunos años, me senté a la mesa con los dirigentes de una importante empresa que cotizaba en bolsa. Estaban intentando fijar las metas anuales. El director general, del que dependían todos, no estaba en la sala. Les pregunté por qué estaban estancados. «Necesitamos órdenes de la dirección», contestaron al unísono.

«¿En serio?», pregunté con asombro. «Mirad a vuestro alrededor», continué alzando un poco la voz. «Todos en esta empresa esperan las órdenes de vosotros. ¡Vosotros sois la dirección!»

«No», respondió el jefe de algún departamento mientras los demás asentían. «El director general está ausente.»

«¿Estáis culpando al director general?», repliqué. «¿Estáis esperando que os diga lo que hay que hacer? ¿Con los cargos que tenéis? ¿Me lo decís en serio?»

A esto le siguió un silencio incómodo. Luego nos pusimos a trabajar para solucionar los problemas de la empresa.

Culpar a los demás es una estrategia perdedora, y no solo porque cualquiera puede ver la trampa. O porque no sea honesta. O porque deteriora las relaciones personales. O incluso porque, a pesar de que tratamos de preservar nuestra autoestima, de hecho, la merma. La razón principal de por qué culpar a los demás es una idea nefasta es que no nos permite aprender.

Si no tienes la culpa de nada, entonces no hay razón para actuar de forma diferente.

Y cuando tienes la culpa de algo y no lo admites, con toda probabilidad, cometerás el mismo error en el futuro, lo cual te llevará a echar más culpas. Es un ciclo que casi siempre acaba mal.

No hace mucho, un director general con quien estaba trabajando, despidió a Bill, el director de la cartera de valores. No lo despidió porque obtuviera malos resultados. Lo despidió porque responsabilizaba de sus malos resultados en inversión a cualquiera menos a él mismo. El director general solo quería una cosa de él: que asumiera los errores que cometía. Pero Bill siguió negando la responsabilidad de que la cartera de valores rindiera tan poco.

El director general hizo bien en despedirlo. Si Bill no aceptaba que estaba cometiendo errores, ¿cómo iba a evitar cometerlos de nuevo? ¿Confiarías a Bill tu dinero?

Por suerte, existe una alternativa fácil a culpar a los demás: carga con la culpa de cualquier cosa de la que seas remotamente responsable.

Esta solución transforma todas las consecuencias negativas de culpar a los demás en consecuencias positivas. Refuerza las relaciones personales, mejora tu credibilidad, te hace feliz a ti y a los demás, mejora la transparencia, aumenta la autoestima, te permite aprender y soluciona problemas. Es lo más parecido que he visto a una panacea.

Una vez que has asumido la responsabilidad, puedes hacer algo al respecto. Se requiere valentía para aceptar la culpa, y esto demuestra fortaleza. Silencia de inmediato a cualquiera que quiera echarte la culpa, porque ¿qué sentido tiene hacerlo si ya la has asumido? La conversación de «quién tiene la culpa» queda zanjada. Ahora puedes centrarte en resolver problemas.

No se puede confiar en alguien que está siempre a la defensiva; en cambio, quien asume la responsabilidad es digno de confianza. Tal vez pienses que te expones al peligro porque otros podrían aprovechar la ocasión para atacarte, pero eso no suele ocurrir.

Estaba dirigiendo el plan estratégico de una empresa de alta tecnología con el director general y sus ayudantes. Analizábamos algunas cuentas problemáticas del trimestre anterior. Uno tras otro, cada empleado trataba de argumentar que, en última instancia, no era responsable de los resultados, y sugería que se debía buscar la causa en otros departamentos. Luego, Dave, el director de ventas, tomó la palabra. Empezó a enumerar los errores que creía haber cometido personalmente y todo aquello que quería cambiar en un futuro.

Sus colegas no se ensañaron con él. De hecho, hicieron justo lo contrario: trataron de liberarlo de las culpas. Uno tras otro, empezaron a asumir su responsabilidad en los problemas que estaba afrontando la empresa.

Asumir la culpa se convierte en un ejemplo. Cuando uno lo hace, los demás se sienten incómodos por no asumir sus responsabilidades. Cuando ven que no los van a fulminar, se envalentonan y asumen el riesgo.

E incluso si los demás no asumen sus responsabilidades por el papel que han desempeñado, al menos tú podrás evitar cometer los mismos errores del pasado, lo cual, en última instancia, es la clave para que tengas éxito en el futuro. Al aceptar la culpa, Dave cambió la dinámica de la reunión y, como se vio después, también la de la empresa. Además, logró que lo ascendieran.

Pero también hay un punto delicado en el hecho de aceptar la culpa. Para hacerlo, necesitas confianza en ti mismo y en tus capacidades. Necesitas sentirte seguro para aceptar el fracaso. Necesitas suficiente amor propio para creer que puedes aprender de tus errores y acabar superándolos. Debes aceptar el fracaso como parte de la vida y no como un veredicto final de cómo eres como persona.

En otras palabras, se puede pisar a un perro. Son cosas que ocurren. Pero no culpes al perro.

En contra de la tentación de defendernos y disculpar nuestros errores, aceptar la culpa es un acto que te potencia y refuerza tu posición, en lugar de debilitarla.

• • • •

25 Las ferreterías no venden leche

Conoce las reglas de los demás

Hace unos meses, Eleanor llegó a casa molesta después de un roce con Michelle, una de las madres de la escuela a la que va nuestra hija. Aquella tarde, mi mujer saludó a Michelle, y esta la ignoró por completo. Pensó que tal vez no la había oído, así que la saludó de nuevo, alzando la voz esta vez. Pero siguió sin responder.

Michelle no estaba hablando por teléfono ni con otros padres. Es decir, no estaba *incapacitada* para responder, sencillamente se *negó* a hacerlo. Le estaba aplicando la ley del hielo. Pero Eleanor no es de las que se rinden, así que la saludó una tercera vez. Entonces, la otra farfulló algo, sin mirarla, y se marchó.

En realidad no eran amigas. Solo habían intercambiado algunas palabras, sobre todo cuando Michelle llamaba a casa para quejarse por algo que había hecho nuestra hija. Aun así, a Eleanor le desconcertó que le hiciera el vacío. Era una de aquellas pequeñas cosas que cuesta quitarte de la cabeza. No se lo *esperaba*.

Continuamente nos sorprende lo que los demás dicen o hacen, o dejan de decir o de hacer. ¿Por qué me ignora el jefe? ¿Por qué se ha atribuido el mérito mi compañero? ¿Cómo ha podido cometer ese error mi empleado? ¿Te puedes *creer* que el director me dijera eso delante de todos? ¿Cómo mi pareja ha podido ser tan desconsiderada conmigo? ¿Por qué mi mujer no valora lo que hago por ella?

Cuando asesoro a ejecutivos o medio en conflictos entre directores, todos se sorprenden de cómo se comportan los demás. Esto me ha llevado a una conclusión muy sencilla: nosotros no somos el problema, ellos tampoco. El problema son nuestras expectativas.

No se trata de que las personas se comporten bien o mal, sino de que nosotros *esperamos* que se comporten de forma *diferente*, incluso cuando nos han demostrado una y otra vez que nuestras expectativas están equivocadas. ¿Debería sorprenderte que por enésima vez tu jefe no te invite a una reunión? ¿O que, cuando envías un correo electrónico afectuoso a un compañero, te quedes sin respuesta, otra vez?

Mi consejo es el siguiente: no vayas a una ferretería y te enfades porque no venden leche. En este caso, la respuesta a la frustración es la aceptación. Es increíble cómo cambiar las expectativas puede cambiar lo que vives.

Puesto que el mundo es más global y en las empresas hay una mayor diversidad de gente, la probabilidad de que nos relacionemos con personas diferentes a nosotros aumenta exponencialmente. Y quienes son diferentes actúan de forma que no esperamos o no queremos. A veces no nos miran cuando nos hablan. A veces son impertinentes. A veces ni siquiera hablan. No satisfacen nuestras expectativas y, por lo tanto, nos frustramos.

¿Recuerdas la regla de oro? ¿Tratar a los demás como te gustaría que te trataran? Pues olvídala. Ya no funciona, si es que alguna vez lo hizo. Inténtalo con esta nueva regla: trata a los demás como a *ellos* les gustaría que los trataran. Si no te gusta que te controlen, por ejemplo, entonces trata de no controlar a los otros. Pero existen personas y lugares en los que actuar así es un error como, por ejemplo, la India.

Según Michael S. Schell, coautor del excelente *Managing Across Cultures: The Seven Keys to Doing Business with a Global Mindset*, los trabajadores indios prefieren —y esperan— que los controles. Recientemente, Michael me dijo: «El pecado capital de los ejecutivos occidentales es la mejor manera de que, en otras culturas, hagan bien su trabajo. Cuando empiezas a tratar a los demás como quieren que les trates, los resultados son más satisfactorios. Al trabajar en un país extranjero, no solo necesitas que te traduzcan las *palabras*: también necesitas que te traduzcan a las *personas*».

En algunas culturas, es muy importante empezar las reuniones puntualmente. En otras, les da igual. En algunos lugares, es de mala educación interrumpir. En otros, es la norma. Comprender las expectativas de los demás te puede ayudar a replantearte las tuyas. Y esto te ayuda a trabajar con ellos de manera más efectiva.

Cuando estoy en una reunión con Yukiko, mi socia japonesa, y no articula palabra, doy por supuesto que está de acuerdo conmigo. Pero podría estar equivocado. No es que esté *de acuerdo* conmigo, es solo que *no se mostraría en desacuerdo conmigo en público*. Si comprendo esto, no me sorprenderá que luego tenga una opinión diferente sobre una cuestión determinada.

Aun así, es casi más fácil entender a Yukiko porque, al fin y al cabo, yo soy de Nueva York y ella es de Tokio. Yo espero que sea diferente. Pero ¿qué pasa con Chris, que está en el despacho de al lado, y que es de Nueva York como yo? Esto es harina de otro costal. No debería necesitar información para saber qué esperar de él.

Pero sí que la necesito porque, de hecho, provenimos de una cultura diferente. Tenemos padres, profesores, experiencias, sueños y esperanzas diferentes, además de éxitos y fracasos diferentes. A pesar de que entendemos las mismas palabras, hablamos lenguas diferentes.

Así que, en lugar de permitir que la gente te frustre, aprende sus normas de comportamiento. Si te habitúas a pensar que cada persona es de un país diferente que no conoces perfectamente, será más fácil que la aceptes.

Luego, cuando alguien no cumpla tus expectativas, no te enfades. Limítate a cambiarlas para que se ajusten mejor a la realidad. Una vez que hayas comprendido qué necesita cada uno, podrás tratarlo de manera diferente, usar palabras diferentes, o ser más o menos agresivo.

O tal vez decidas marcharte: trabajar en otro lugar con otro tipo de gente, unirte a otra comunidad o buscar nuevos amigos. Porque cuando aceptes a los demás, cuando aceptes que no puedes comprar leche en una ferretería, quizá decidas que no quieres estar en una ferretería. No quiero decir que los otros no puedan cambiar: solo digo que es una trampa esperar que lo hagan.

«¿Crees que debería llamar a Michelle para hablar sobre lo que ha ocurrido esta tarde?», me preguntó Eleanor, todavía digiriendo lo que había ocurrido.

«Depende», repuse. «¿Te molestará que te mande a freír espárragos?»

> En lugar de enfadarte con la gente que no cumple tus expectativas, ajústalas al comportamiento que tienen normalmente. Conoce cómo es un individuo y amóldate a él.

• • • •

26 El primer día de Sophia con nieve fresca

Conoce a las personas en el lugar en el que viven

Eleanor y yo estábamos profundamente dormidos en casa de mis padres, al norte de Nueva York, cuando nuestra hija Sophia, que por entonces tenía cinco años, entró corriendo en el dormitorio.

«¡Mirad por la ventana!», gritó mientras subía las persianas. Yo miré el reloj: eran las seis de la mañana. Ella saltaba entusiasmada y tras la persiana aparecieron unos treinta centímetros de nieve fresca.

«¡Vamos a esquiar!»

Unas horas después, estaba con Sophia y su hermana, Isabelle, tres años mayor, en lo alto de una pista de nivel intermedio que habíamos descendido varias veces. Pero esta vez era diferente. La nieve fresca del noroeste no es la nieve ligera y esponjosa del oeste. Es dura y difícil de esquiar, sobre todo cuando pesas veinte kilos.

A Isabelle le costó, pero logró esquiar en estas nuevas condiciones. Sophia, por el contrario, se cayó casi de inmediato. Se rió, se puso en pie y comenzó de nuevo. Unos metros más abajo, volvió a caerse. De nuevo rió y se levantó. Entonces Isabelle también se puso a reír.

Pero yo no. Aquello me preocupaba porque era muy difícil para Sophia, podía hacerse daño y su clase de esquí empezaba en quince minutos. A este ritmo, no iba a llegar nunca.

Le grité algunas palabras de ánimo, algún consejo. Pero se reía tanto que le costaba esquiar. ¿Se estaba cayendo a propósito, porque era divertido?

Me puse detrás de ella para ayudarla cuando se cayera, pero cada vez me sentía más frustrado. Le dije seriamente que dejara de jugar. Pero se seguía cayendo y riendo.

Miré la hora. «¡Sophia!», grité. «Venga, deja de hacer el tonto. Ya no es divertido. Vamos a llegar tarde a clase.»

«¡Lo estoy intentando!», replicó.

Me calmé por un momento, miré al cielo y respiré hondo. La belleza de los árboles cubiertos de nieve era increíble. Y fue entonces cuando me di cuenta de que yo era un idiota.

Ahí estaba mi hija de cinco años viviendo una experiencia alentadora. Aunque era difícil, exigente y daba miedo, lo estaba gestionando de maravilla, pasándoselo en grande. Y ¿cómo la ayudaba yo? Gritando.

Ahora me parece obvio, pero en aquel momento mi reacción me pareció totalmente natural. Y esta es, de hecho, la cuestión. Me pareció natural porque refleja cómo me estaba sintiendo: tenía miedo, estaba frustrado y me preocupaba que Sophia e Isabelle llegaran a clase sanas y salvas y a tiempo.

¿Cuál fue mi error? Olvidé que la situación no tenía nada que ver conmigo. Olvidé centrarme en las necesidades de mi público, en este caso, una niña de cinco años que esquía sobre nieve fresca por primera vez. Es la primera lección en las presentaciones y la comunicación. Nunca habría cometido el mismo error si estuviera dando una conferencia o hablando con un cliente. Es decir, si estuviera *pensando*.

Pero cuando estás metido en el meollo, es fácil saltarse el paso de pensar. Un empleado nos entrega un trabajo pésimo y nos enfadamos. Pero ¿acaso esto le va a ayudar para hacerlo mejor la próxima vez? Si el trabajo es malo porque al empleado le trae sin cuidado, y mi enfado le hace implicarse más, entonces tal vez sí. Pero un bajo rendimiento no suele estar causado por la falta de miedo. La razón suele ser una mala comunicación o una falta de capacidad, y en este caso formular preguntas pertinentes es, seguramente, más útil.

Es difícil de hacer porque, cuando estamos enfadados, reaccionamos con ira. Y cuando estamos frustrados, respondemos con frustración. Es totalmente comprensible, pero ni funciona ni ayuda.

La solución es simple: cuando reacciones violentamente a algo, respira hondo y hazte una pregunta muy sencilla. ¿Qué le ha ocurrido a la otra persona? Luego, basándote en la respuesta, hazte otra pregunta: ¿qué puedo decir o hacer para ayudarla?

En otras palabras, no reacciones desde donde *tú* estás, sino desde donde están *ellos*. ¿Qué necesitan en ese momento? ¿Algún consejo? ¿Una historia sobre qué hiciste tú en una situación similar? ¿Tal vez solo escucharlos con empatía? O quizá solo un poco de paciencia.

Imagina que tu empleado favorito —al que le has dedicado tanto tiempo para formarlo— te dijera que está pensando en dejar tu equipo para aceptar un trabajo nuevo. Te sentirías enfadado y traicionado, pero ¿ayudaría que te enfadaras con él? No. Lo mejor sería que preguntaras qué ocurre, qué funciona y qué no.

Cuando me di cuenta de mi error, casi me enfadé conmigo mismo al haber casi reprimido el entusiasmo de mi hija. Pero no me flagelé demasiado. Respiré un poco y la miré. Esquiaba unos metros, se caía, reía, se levantaba y vuelta a empezar. Verla reírse de sus errores me recordó que no debía tomarme a mí mismo muy en serio. Resulta que ponerse en el lugar de los otros no solo les ayuda a ellos, sino que también te ayuda a ti.

> En una situación frustrante, no reacciones según lo que sientes en aquel momento —enfado, molestia, irritación—, sino según lo que la otra persona necesita para resolver el problema.

• • • •

27 Fue un pase largo

Conviértete en un gran receptor

Incluso antes de soltar el disco, supe que iba a ser un pase largo. Y, por desgracia, también fue un pase torpe.

Estábamos jugando a Ultimate Frisbee, un deporte parecido al fútbol americano. Estábamos empatados a 14 y se nos acababa el tiempo. Quien lograra el siguiente punto ganaba el partido. Contemplé cómo volaba el disco por encima de los jugadores. Todos menos yo corrieron hacia el final del campo. Pero cuando vi que el disco se tambaleaba y se escoraba hacia la izquierda, me avergoncé sin remedio. Aun así, todavía creía que podía ir dentro.

Mi amigo Sam estaba en mi equipo.

Sam se separó del resto de los corredores y se dirigió hacia la línea de fondo, pero el disco seguía estando demasiado lejos. No iba a llegar. Pero, en el último momento, dio un salto. En posición completamente horizontal, Sam se desplazó por el aire con los brazos extendidos. El tiempo se ralentizó a medida que se acercaba el disco. Hubo un silencio sepulcral en el campo cuando cayó deslizándose sobre la línea de fondo rodeado de una nube de polvo. Un segundo después, se levantó, con el Frisbee en la mano. Nuestro equipo estalló en júbilo.

La recepción de Sam nos hizo ganar el torneo.

Y también me dio una lección: nunca subestimes el valor de un buen receptor.

Me acordé de esto no hace mucho, después de traer a colación un tema delicado con Alba, una clienta. La conversación versaba sobre una reunión que ella debía dirigir y sobre mis propias inseguridades sobre cómo podía ayudarla. Antes de hablar con ella, me asolaban las dudas y estaba preocupado. ¿Me estaba extralimitando? ¿Me estaba exponiendo demasiado? ¿Rechazaría ella mis ideas? ¿Me rechazaría a mí?

Empecé la conversación a trompicones, disculpándome y dando demasiado contexto. Incluso cuando saqué el tema en cuestión lo hice a modo de tentativa, oscuramente, y ver cómo mis palabras flotaban en el aire me hizo sentir incómodo.

Pero, por suerte, Alba resultó ser una receptora de la misma categoría que Sam.

Me escuchó sin mostrar la más mínima molestia. Hizo preguntas —no para defenderse o para refutar mis argumentos—, sino para comprender mi punto de vista más claramente. Fue elegante y tolerante, estuvo atenta. Su capacidad para asimilar lo que le estaba diciendo nos llevó a una conversación profunda sobre su rendimiento, el papel que yo desempeñaba y las necesidades del equipo. Pocas semanas después, se presentó en la reunión y la dirigió de manera excelente.

Normalmente, escogemos a nuestros líderes por su capacidad para transmitir mensajes de manera clara y rotunda. Pero, según mi experiencia, es su capacidad para recibir mensajes lo que distingue a los mejores líderes de los demás.

Así que ¿cómo te conviertes en un buen receptor?

Sé valiente. Solemos atribuir el valor a quien habla, pero ¿qué pasa con quien escucha? A mí me daba miedo abordar algunos temas con Alba, pero había tenido tiempo para prepararme. Podía controlar qué y cómo lo decía. Pude reflexionar con antelación, escribir algunas notas y consultar mis ideas con otras personas. El receptor no tiene todas estas ventajas. Como Sam, tiene que recibir mi lanzamiento, como sea, donde sea y cuando sea. Tiene que estar dispuesto a escuchar palabras que le pueden hacer sentir inseguro, que le pueden dar miedo o ponerlo a la defensiva. Y, si es un buen receptor, aceptará el mensaje o la información a conciencia, incluso si la forma de expresarlo es imperfecta o discordante. Esto requiere un enorme valor.

No juzgues. Recibir depende tanto de lo que haces como de lo que no haces. Resiste la tentación —descarada o sutilmente— de criticar a quien habla o lo que dice. No discutas, ni te burles, ni insultes o actúes agresivamente, no la tomes con la otra persona, no te pongas a la defensiva ni seas frío.

Sé abierto. Para recibir un pase en cualquier deporte —y también en el trabajo y en la vida—, debes estar libre, abierto, desmarcado. Pero a menudo nos cubrimos a nosotros mismos. Sentimientos potentes como el miedo, el enfado, la tristeza y la inseguridad son idóneos para bloquear nuestra capacidad para recibir un pase. Si quieres ser un buen receptor, debes dejarte sentir lo que sientes sin bloquear o controlar tus reacciones. Respira. Reconoce qué es lo que estás sintiendo sobre ti mismo —incluso lo que sientes respecto a la otra persona—, pero sin estancarte en ello. Reitera lo que oyes, haz preguntas, sé curioso. Pero no seas curioso solo para poder refutar lo que te están diciendo, sino para comprender qué dice la otra persona y, sobre todo, qué dice entre líneas.

Si logras ser valiente, evitar juzgar y estás abierto —incluso si el lanzamiento es imperfecto y el mensaje te desconcierta—, entonces, como Sam y como Alba, podrás atrapar prácticamente todo.

Y cuando tengas esto por la mano, serás el mejor jugador de cualquier equipo en el que estés.

> La próxima vez que sientas el impulso de rechazar la opinión o las ideas de otra persona, baja los brazos y ábrete a lo que te dice. Cuanto mejor escuches, más te hablarán.

• • • •

28 Una salida en falso te descalifica

Primero, muestra empatía. Luego, hazle sentir bien

Eleanor y yo estábamos visitando a unos amigos un sábado cuando su hija de nueve años, Dana, llegó a casa. Estaba el borde del llanto, apenas podía contenerse.

«Cariño», dijo su madre, «¿qué ha ocurrido en la competición de natación?»

Dana es una nadadora excelente. Entrena mucho, por las mañanas va a nadar a las seis y también acude a la piscina algunas tardes. Y obtiene recompensa por sus esfuerzos. A menudo gana competiciones, lo que le otorga puntos a su equipo. Es evidente que está orgullosa de todas estas victorias.

Pero no logra lo mismo con todo lo que se propone. Le cuestan algunas asignaturas del colegio, tiene que hacer deberes extras de matemáticas para seguir el ritmo de los otros niños, y también necesita ayuda en las clases de lectura. Siempre, sin embargo, se esfuerza al máximo.

«Me han descalificado», repuso. Nadó muy bien en la carrera, pero se tiró a la piscina una fracción de segundo antes de que sonara el disparo: una salida en falso.

Estábamos en el vestíbulo de su casa, y ella se sentó en el escalón inferior, con la mochila aún en la espalda, mirando al vacío, inexpresiva.

«Cielo», susurró su padre, «hay muchas más competiciones esta temporada. Tendrás más oportunidades para ganar.»

Yo le dije: «El hecho de que hayas saltado antes significa que estabas dándolo todo. Tratabas de no desperdiciar ni una milésima en la salida. Ese es el buen camino. No calculaste bien el tiempo, pero no pasa nada. Cuanto más practiques, mejor lo harás».

«Todos los nadadores de todos los equipos han sido descalificados alguna vez», añadió Eleanor. «Forma parte del deporte.»

«Ya verás cómo el entrenador te ayudará a practicar las salidas antes de la siguiente competición», continuó su madre, «y sabrás exactamente cuándo saltar para no perder ni un segundo y tampoco quedar descalificada. Aprenderás a hacerlo.»

Pero nada de lo que decíamos parecía mejorar la situación. Nada cambió su mirada inexpresiva. Nada funcionaba.

Entonces, apareció su abuela, Mimi.

Estábamos todos rodeando a Dana, pero Mimi se abrió paso y se sentó junto a ella. Le pasó el brazo por encima del hombro y guardó silencio. Al final, la niña apoyó la cabeza en el hombro de su abuela. Después de un rato de silencio, Mimi le besó la cabeza y dijo: «Sé lo mucho que te esfuerzas con esto, cariño. Es triste que te descalifiquen».

En ese momento, Dana rompió a llorar. Su abuela siguió allí durante varios minutos, rodeándola con el brazo, en silencio.

Después la pequeña la miró, se secó las lágrimas y dijo sencillamente: «Gracias, Mimi». Y yo pensé: *Todos, ejecutivos y directores de equipo, deberían ver esto.*

Excepto Mimi, ninguno de nosotros supo ver qué necesitaba Dana.

Intentamos que se sintiera mejor mostrándole las ventajas del fracaso, poniendo el error en contexto, enseñándole cómo podía sacar una lección de ello, y motivándola para que se esforzara más y lo hiciera mejor para que no le volviera a ocurrir.

Pero no necesitaba nada de esto. Ya lo sabía. Y si no lo sabía, ya lo comprendería por ella misma. ¿Qué era lo que necesitaba, lo que no se podía dar a sí misma, lo que Mimi entendió y satisfizo?

La empatía.

Necesitaba sentir que no estaba sola, que todos la queríamos y que aquel fracaso no lo iba a cambiar. Tenía que saber que entendíamos cómo se sentía y que sabíamos que lo superaría. En fin, que confiábamos en ella.

Yo quería que todo líder o director —toda persona— viera la escena porque la respuesta empática al fracaso no solo es la más compasiva, sino también la más productiva.

Si me siento contigo, cuando te has equivocado o has fracasado, sin tratar de cambiar nada, te hago saber que todo está bien, incluso cuando no rindes como esperabas. Y, aunque no parezca lógico, si te sientes bien contigo mismo cuando fracasas, podrás levantarte e intentarlo de nuevo.

La mayoría de las personas no nos damos cuenta de ello. Normalmente, cuando alguien fracasa, lo culpamos. O tratamos de enseñarle algo, de hacerle sentir mejor. Lo que, paradójicamente, le hace sentir peor. También incita una actitud defensiva, como un acto de autoconservación. (Si no estoy bien después de un fracaso, me las arreglaré para explicármelo de tal forma que no sea mi fracaso.)

Nuestras intenciones son buenas. Queremos que esa persona se sienta mejor, que no repita sus errores. Queremos proteger nuestros equipos y organizaciones. Pero el aprendizaje —poder evitar fracasos futuros— solo llega cuando pueden sentirse mejor consigo mismos después de fracasar. Y este sentimiento lo obtienen con la empatía.

Por suerte, expresar empatía es bastante sencillo. Cuando alguien comete un error o se descarrila, solo tienes que escucharle. No le interrumpas, no le des consejos, no le digas que todo se arreglará. Y no temas quedarte en silencio. Limítate a escuchar. Y luego, después de un rato, reflexiona sobre lo que ha dicho, sobre lo qué sientes que siente. Eso es todo.

He dicho que era sencillo, no fácil. Es difícil solamente escuchar y comprender. Es difícil no dar consejos o solucionar problemas. Es difícil, pero merece la pena.

Al cabo de un rato, Dana se levantó, cenamos juntos y luego se fue a mirar la tele. Estábamos charlando en el comedor cuando la niña vino a decirnos buenas noches.

«¿Cómo te encuentras?», pregunté.

«Un poco mejor», contestó, «aunque aún un poco triste.»

Casi le dije que no se preocupara, que todo se iba a arreglar, que se sentiría mejor por la mañana, que siempre habría otra competición y que tenía mucho tiempo para entrenarse.

Casi.

«Lo comprendo», repliqué. «Es triste.»

> Nuestras buenas intenciones para que los demás se sientan mejor no suelen funcionar. Es mejor empatizar porque transmite confianza, y las personas nos sentimos más seguras —y rendimos mejor— cuando confían en nosotros.

• • • •

29 No se trata del champú

Escucha lo que no se dice

Para ser justo, debo decir que en aquel momento estaba muy absorto escribiendo un artículo en mi despacho. Cuando mi mujer me llamó, no quería que me interrumpieran.

Nos íbamos fuera el fin de semana y Eleanor quería que le ayudara a hacer las maletas. Gritó desde el dormitorio, alzando lo bastante la voz como para que yo pudiera oírla. Yo grité de vuelta diciendo que estaba a tope de trabajo.

Ella replicó: «¿Podrías como mínimo ocuparte del champú?»

Aquello me pareció ridículo. ¿Quería que me levantara de la silla, fuera al baño, cogiera el champú y lo metiera en la maleta? Ella ya estaba en el dormitorio. Solo necesitaba diez segundos para hacerlo.

«Mira», grité, «¿no puedes meter tú el champú en la maleta? No es para tanto.»

«Claro», dijo, y tan pronto como oí el tono de su voz supe que había cometido un error capital. No había comprendido en absoluto lo que me pedía. Pensé que se trataba de meter el champú en la maleta, pero no, no era eso.

Bienvenido al país de la comunicación torpe, de los malentendidos y de las discusiones inútiles que provoca el no prestar suficiente atención.

En un primer nivel, la petición de Eleanor era que metiera el champú en la maleta. Pero en eso también me equivoqué. Ella pensaba que yo todavía no había preparado mi neceser y me estaba pidiendo que, cuando lo hiciera, pusiera el champú en una botella pequeña para uso familiar: una petición razonable.

En un segundo nivel, la petición de Eleanor no tenía nada que ver con el champú. Tenía que ver con el hecho de que siempre es la encargada de hacer las maletas para toda la familia, y estaba harta. Me pidió lo del champú porque necesitaba sentir que no lo estaba haciendo todo ella sola. Para sentir que estábamos juntos en esto. En cierta forma, era muy generoso por su parte pedirme que únicamente me ocupara del champú. Me podía haber pedido que cogiera toda la ropa de los niños, pero no lo hizo. Era consciente de que yo tenía mucho trabajo. Y yo no valoré eso.

Por último, en un nivel más profundo —un nivel al que no se puede llegar si se conversa a gritos entre dos habitaciones—, acabé dándome cuenta de que la petición de Eleanor tenía que ver con una cuestión más perturbadora: ¿para esto, se preguntó mientras hacía las maletas, me he licenciado en Princeton? Ser la encargada de las maletas representaba, en aquel momento, el fracaso de la equidad, de los derechos de las mujeres y sus propias decisiones respecto a su trabajo y la familia.

Todo esto estaba implícito densamente en su petición. Pero yo no presté atención porque estaba metido en mi artículo. ¿Quién de los dos tenía razón? En una situación así, da igual quién tenga razón. Solo importa cómo nos comunicamos, cómo nos entendemos y colaboramos.

No es raro pasar por alto lo que se dice entre líneas. Es habitual, de hecho. Nos han enseñado a expresar de forma clara y racional nuestras necesidades, deseos, peticiones y expectativas. Y nos han enseñado a escuchar atentamente. Pero ¿acaso solemos hacerlo? Y, cuando no lo hacemos y entonces no entendemos lo que el otro quiere decir, ¿quién debe hacer el primer movimiento para aclarar las cosas?

El primero que se dé cuenta.

Y este es el verdadero reto. Es difícil escuchar lo que dice alguien y comprender la necesidad real que se esconde detrás de las palabras. ¿Cómo sabemos que hay algo más profundo e importante detrás de las palabras?

La pista que yo tuve, además de que me sobresaltara el tono, fueron las palabras *como mínimo*. Podría «cómo mínimo» ocuparme del champú. Existe un matiz, una señal de que algo no va bien.

Así que ¿qué deberías hacer? No le critiques por no hablar con claridad. No le acuses de no ser razonable. Y no cometas el error de decirle lo que realmente quiere decir. Son tiros que saldrán por la culata. Incluso si crees que sabes lo que quiere decir, lo mejor es hacer una pregunta.

Cuando entendí que pasaba algo, fui a hablar con Eleanor. Después de disculparme, le pregunté si se sentía sola haciendo todos los preparativos para irnos el fin de semana. Me respondió que sí. Y que odiaba esa sensación. Le dije que lo comprendía y que lo valoraba. Y luego fui a buscar el champú.

Cuando alguien solicita, pide o reclama algo, y la forma de expresarlo es incoherente, no reacciones precipitadamente. Cálmate. Pregúntate qué ocurre. Pregunta a la otra persona. Y si lo que pide es fácil de hacer, considéralo, y hazlo. Es difícil trabajar estrechamente con los demás un día sí y un día también. Lo mismo ocurre con el matrimonio. Y en el caso de los trabajadores a distancia de diferentes culturas y comunidades, es como un matrimonio intercultural a distancia.

No es una tarea fácil, pero ayuda a ser más tolerante con los demás. Otórgales el beneficio de la duda. «Sé amable», dice el proverbio, «pues cada persona que encuentras está librando una dura batalla.» Lo bueno de esta perspectiva, de esta compasión, es que no solo hace que la vida de los demás sea mejor. También hace que tu vida sea mejor.

Si alguien pide, solicita o dice algo que parece incoherente —sobre todo si esa persona suele ser coherente—, no reacciones precipitadamente y concédele el beneficio de la duda. Es muy probable que haya algo más profundo que no está diciendo.

• • • •

30 El mejor cumpleaños de mi vida

Haz el regalo del reconocimiento

Aunque ya han pasado algunos años, todavía recuerdo cuando cumplí cuarenta y tres.

Los cuarenta y tres no marcan década alguna. No es uno de esos cumpleaños que se celebran a lo grande, y el mío no fue una excepción. Nadie me preparó una magnífica fiesta sorpresa. Cené por separado con algunos amigos y familiares. Recibí dos regalos.

Y, sin embargo, ese cumpleaños se me ha quedado grabado. Recuerdo sentirme tan valorado, y respetado, tan querido... Porque en este particular aniversario sin ninguna importancia, además de los dos regalos, recibí otras cosas: regalos que no cuestan nada, pero que, de hecho, son realmente grandes.

Y me dio que pensar. ¿Por qué damos regalos?

En principio, damos regalos porque se supone que tenemos que darlos. En ciertas ocasiones —cumpleaños, aniversarios, fiestas, Navidades—, es la costumbre. Y, bajo el acto en sí, hay un propósito importante: el reconocimiento. Damos regalos a los demás para mostrarles que estamos agradecidos y porque valoramos el papel que desempeñan en nuestras vidas.

Pero también existe un malentendido común: cuanto más grande o valioso es el regalo, más expresa nuestro reconocimiento. Conozco a ejecutivos que han recibido muy generosas primas y que se sienten totalmente infravalorados. La razón es que los regalos no expresan el reconocimiento: lo expresan las personas. Y cuando una persona no lo expresa, tampoco lo hacen sus regalos.

¿Cuáles fueron los regalos que recibí y que tanto significan para mí? Eleanor pidió a un reducido grupo de amigos que me escribieran unas palabras de reconocimiento, «un pensamiento, un propósito o un poema», les sugirió, «que le ayude a aceptarse tal como es».

Tal como es. No hay una forma más verdadera de reconocer a los demás que agradecerles que sean tal como son.

Pero casi nunca lo hacemos. Especialmente, en el contexto empresarial, donde a menudo les pedimos a los demás que cambien y donde los valoramos por lo que pueden hacer por nosotros o por la empresa. Piensa si no en los rituales empresariales de fin de año: evaluaciones de rendimiento de los empleados, la fiesta de Navidad, y a veces, si tenemos suerte, una prima. Las evaluaciones de rendimiento se supone que deben identificar nuestros puntos fuertes, y las mejores evaluaciones suelen dedicar la mayor parte de su tiempo a ellos. Pero no sería una evaluación si no se ocupara también de nuestras debilidades, áreas que «hay que desarrollar», cuestiones en las que no damos la talla. Es decir, justo después de alabarnos, concluyen diciendo que no somos lo bastante buenos.

Es habitual que en la fiesta de Navidad el director general u otro alto ejecutivo diga unas palabras de agradecimiento por el trabajo que han hecho los empleados a lo largo del año, y que les anime a que sigan esforzándose el siguiente año. Es un ritual importante, pero es impersonal, se dedica a toda la empresa o a todo el departamento. Y normalmente es sobre lo que hemos logrado y no sobre lo que somos. Las personas no se sienten reconocidas individualmente.

Y las primas son una cuestión empresarial que sirve para valorarnos no por lo que somos, sino por lo que hemos logrado. Nos las dan sin ceremonia alguna y sin una expresión de reconocimiento clara. ¿Cómo es posible que la concesión de opciones sobre acciones de la empresa dejan a la gente con la sensación de estar siendo subestimada? Se dejan en las sillas vacías de los empleados por las noches. Sin ninguna nota. Sin ninguna conversación. Únicamente un trozo de papel en la silla.

No quiero decir que estos rituales no sean importantes. Las personas trabajan juntas en las empresas para lograr objetivos, así que tiene sentido que los rituales de la organización les reconozcan su trabajo y les incentiven para que logren más objetivos en el futuro.

Pero me gustaría poner sobre la mesa otra forma de mostrar reconocimiento a las personas que nos rodean. Una forma que no cuesta nada y que sienta muy bien a quien la hace y a quien la recibe: en una nota escrita a mano, diles por qué los valoras. No lo que hacen por ti. No lo que te ayudan a lograr. Ni siquiera lo que logran ellos. Solo por qué los valoras.

Cuando les explico esta idea a otros, suelen ser renuentes. «Si valoro a los demás sencillamente por ser ellos mismos», me dicen, «entonces, ¿qué les motivará para seguir esforzándose? ¿Para seguir creciendo?»

Conozco a un ejecutivo que no le dirá a un empleado que lo hace bien si no añade que quiere que mejore. Es un hábito sutil pero destructivo, porque provoca desconfianza. Es como darle un regalo a alguien, pero, a la vez, advertirle de que puedes arrebatárselo si en el futuro no lo merece. Cuando las personas sienten esta desconfianza —o sienten que no las valoran—, se esfuerzan menos. Se sienten insatisfechas y lo comparten con los demás. Se desmotivan.

Esta es la parte delicada: damos un regalo para mostrar nuestro reconocimiento, pero, si no lo hacemos de forma adecuada, la persona que lo recibe se puede sentir infravalorada. Quienes se encontraron las opciones sobre acciones en la silla, no se sintieron agradecidos: se sintieron enfadados y resentidos.

No parece lógico, pero, cuanto más valorado te sientes sin tener la presión de rendir más, mejor trabajas. La motivación provendrá más de un impulso interior que de una fuerza exterior. Es una fórmula muy sencilla: si quieres que alguien se sienta valorado, valóralo sin pedirle nada a cambio.

Si esta estrategia te suscita escepticismo —tal vez te parezca sensiblera, ñoña—, piensa en cómo te sentirías si recibieras en una nota escrita a mano un reconocimiento franco, completo de la gente que te rodea.

Así que lo mejor es ser generoso con los regalos que haces para reconocer a los demás, incluso con personas con las que discrepes. Es posible que no te guste todo de ellos. Quizá no siempre les reconozcas por lo que son totalmente. Está bien. No es una evaluación de rendimiento. No tienes que referirte a todos los aspectos de una persona. Es un regalo. No hay razón para escatimar tus muestras de reconocimiento: son ilimitadas. Limítate a pensar qué valoras de los demás y descríbelo. Diles qué hay en ellos que te hace sonreír, qué admiras, qué los hace especiales para ti.

Luego dales la nota y agradéceles, individualmente, que trabajen contigo. Y, si te da vergüenza, déjales la nota en la silla, por la noche: no hay riesgo alguno de que la lean y se sientan infravalorados.

A mí, me convirtió un cumpleaños insignificante en el más importante de mi vida.

> Cuando intentamos motivar a los demás mediante regalos y recompensas podemos obtener el efecto contrario, si lo que expresamos es que los valoramos por lo que pueden hacer por nosotros y la empresa. En lugar de esto, muestra reconocimiento a los demás valorándolos por quienes son. Cuanto más valorados nos sentimos sin tener la presión de rendir, mejor rendimos.

• • • •

31 Un asiento gratis de primera clase

Recurre a la generosidad de la gente

Mi vuelo de Nueva York a París se había retrasado —incluso cabía la posibilidad de que lo cancelaran— y los pasajeros, esperando en la puerta de embarque, estaban molestos. La mayoría estaban sentados en silencio, mirando de vez en cuando la pantalla y mascullando lo que se suele mascullar cuando uno está frustrado e impotente: «¡Nunca vamos a salir de aquí!» y «¿Te lo puedes creer?»

También había una pareja de franceses, para quienes mascullar no era suficiente. Les costaba hablar inglés y lo supe, como el resto de los pasajeros, porque estaban discutiendo en voz alta con la empleada de la puerta de embarque. Tenían aquella actitud de «Pero ¿usted sabe quién soy yo?», a la que añadían aquí y allá el «No me pienso ir hasta que me dé lo que le pido».

Me acerqué sigilosamente para comprender a qué se debía el alboroto. Si lo entendía bien, estaban enfadados porque tenían los billetes, pero no les habían asignado asiento, y temían no poder volar. La empleada, quien después sí que pudo asignarles asiento, se negaba a hacerlo en aquel momento. Les aseguraba que estarían en el avión cuando —y en el caso de que— despegara, pero les decía que lo primero era lograr que el avión recibiera el permiso de despegue, y «en este momento, nadie tiene asiento porque el avión no va a ninguna parte».

Hubo un malentendido en la traducción: la pareja oyó «Ustedes no tienen asiento y no van a ir a ninguna parte», lo cual les hizo sentir mucho más angustiados e impotentes, como es natural. A esta falta de poder reaccionaron intentando ejercer su poder. Insistieron alzando todavía más la voz diciendo que, de hecho, tenían asientos, pero que no se los habían asignado, que era precisamente lo que pedían. A lo que la empleada respondió, y cito literalmente: «¡No!»

Sería bastante fácil dar algunos consejos a la empleada sobre cómo gestionar la situación de forma más efectiva. Pero es más interesante pensar en qué debería hacer la pareja francesa. Porque, si dejamos de lado quién tiene razón, y dejamos de lado la barrera de la lengua, lo que nos queda es una situación en la que nos encontramos una y otra vez: una pugna por el poder. La empleada tenía claramente el poder a su favor, porque podía decidir si les asignaba un asiento o no.

A veces esta pugna es entre departamentos: los de ventas quieren algo de los de marketing, pero marketing no se lo concede, así que los de ventas gritan más alto, tal vez una amenaza para lograr algún efecto. En otras ocasiones, la pugna por el poder es personal: un miembro del equipo quiere algo de otro, e intenta ejercer su poder para lograrlo. Hay veces en que incluso funciona.

Pero lo más habitual es que no funcione. Tratar de ejercer el poder, especialmente cuando no lo tienes, provoca resultados impredecibles, no es positivo para ninguna de las partes y es intimidatorio. El daño colateral que produce en la relación es importante. Debe existir una estrategia mejor para lograr lo que quieres cuando en una situación dada eres impotente.

Por suerte, existe, y al descubrirla logré que me pasaran gratuitamente a primera clase: olvídate de la ilusión de que tienes poder alguno. Es una ilusión que te estorba. Cualquier persona, cuando se lo pides con respeto, estará dispuesta a hacer exactamente lo que rechaza hacer cuando siente que la presionas.

Tan pronto como oí a la empleada decir «¡No!», intervine. Me coloqué entre ella y la pareja e interrumpí la conversación. Tenía un arma secreta. Hablo francés.

Le pedí a la empleada que me permitiera hablar un momento con la pareja para explicarles lo que ella les estaba diciendo. Luego me dirigí a la azafata de tierra y le transmití lo que la pareja pensaba que ella estaba diciendo.

Cuando se hubieron calmado, la pareja se disculpó y le dijeron a la empleada que comprendían lo difícil que era gestionar el retraso de un avión. Sabían que ella no tenía por qué asignarles un asiento, pero le explicaron que se sentían angustiados. Le preguntaron si, en aquella situación particular, y aunque se hacían cargo de lo ocupada que debía de estar para lograr que el avión despegara, estaría dispuesta a asignarles un asiento. Después de una breve conversación, les dio las tarjetas de embarque con asientos asignados.

A veces, es de una gran ayuda recurrir a la poderosa generosidad de una persona.

Lo interesante es lo siguiente: en el mundo empresarial a menudo parece que el poder siempre lo tienen otros. En cualquier momento, los clientes pueden trasladar sus negocios a otra parte, los empleados pueden cambiar de trabajo y los compañeros pueden limitarse a lograr sus propios objetivos.

No importa cuál sea nuestra posición de poder: lo mejor es recurrir a la generosidad de los demás. Aunque les paguemos un salario, es útil considerar a quienes nos rodean como voluntarios, lo que significa utilizar más las peticiones que las órdenes, y crear relaciones que se basen en la confianza y el respeto, más que en la jerarquía y el politiqueo.

Si ves a dos personas enzarzadas en una pugna de poder, considera intervenir. No para decantarte hacia uno de los dos lados, sino para hacer de puente. A veces necesitamos una interrupción momentánea para poder ver al otro como una persona y tocar su fuente de generosidad. Y lo que suele ocurrir es que estamos demasiado absortos en la discusión y somos incapaces de cambiar de postura. Que una tercera persona participe puede ayudar a que salgamos de nosotros mismos.

Cuando la empleada me agradeció la intervención, pensé que era la ocasión de pedir lo que yo quería. Le dije que me hacía feliz ayudar, y luego continué: «Ya sé que debe de tener a muchas otras personas insatisfechas. Y ni siquiera sé si es posible, seguramente vaya en contra de las normas, pero si hubiera alguna posibilidad, porque hay un asiento libre, de que me pasara a primera clase, le estaría realmente agradecido. El vuelo sería una experiencia magnífica. Si hubiera alguna posibilidad…»

Bueno, pues resultó que por problemas técnicos debieron cambiarnos a un avión que tenía más asientos de primera clase. Cuando embarqué, me topé con una grata sorpresa: la empleada me cambió la tarjeta de embarque antigua por una nueva, en la que me habían asignado un asiento en… primera clase.

> Cuando interactúes con alguien que tiene más poder que tú, no te enzarces en una pugna de poder esgrimiendo exigencias y amenazas. Al contrario: apela a su generosidad. Si se lo pides con respeto, cualquier persona hará de buena gana lo que rechaza hacer si siente que la presionas.

• • • •

32 Por qué no ascendieron a Tim

No dejes de decir gracias

John, el director general de una empresa de ventas, le envió un correo electrónico a Tim, un empleado subalterno, para felicitarle por su papel en una reunión reciente. Tim no respondió el correo.

Una semana después, estaba en el despacho de John solicitando una plaza vacante que le permitiría ascender a un cargo de dirección. Entonces el director general le preguntó si había recibido el correo. Tim dijo que sí. ¿Por qué no había respondido? Contestó que no lo consideró necesario.

Pero Tim estaba equivocado. El correo de John merecía, como mínimo, una respuesta de agradecimiento.

No lo ascendieron ¿Lo dejaron de lado solo porque no agradeció las felicitaciones de John? No. Pero ¿la falta de respuesta de Tim fue una de las varias razones que convencieron a su director general de que debía escoger un candidato mejor? Sin duda.

Antes de que acuses a John de ser trivial o demasiado sensible, antes de que condenes su débil capacidad para contratar, reflexiona sobre qué quiere decir dar las gracias.

En un primer nivel, significa que has recibido el correo. Aunque mucha gente piensa que es mejor no escribir correos de agradecimiento porque contribuye a sobrecargar la bandeja de entrada, yo no estoy de acuerdo. Yo contesto todos los correos porque no quiero que el destinatario se preocupe y se pregunte: «¿Recibió Peter mi correo? ¿Y qué piensa de él?» Solo nos lleva tres segundos responder «¡Gracias!», y completa el intercambio de mensajes.

Pero un correo que tiene contenido emocional —como una felicitación— merece algo más largo: un agradecimiento bien ponderado opuesto a un simple «Recibí tu correo, gracias». En el primer caso, estás reconociendo el esfuerzo de la persona que te ha escrito, valoras su atención e intención, y le haces saber que sus acciones han tenido un impacto.

Es más, todo esto es racional, pero dar las gracias es en gran parte un acto emocional. Conecta a una persona con otra. Dar las gracias no solo es una forma de valorar el esfuerzo, la atención, las intenciones o las acciones de los demás. También es una forma de valorar a la persona.

Valorar a las personas es una responsabilidad capital —tal vez la responsabilidad más importante— de un gran director, especialmente de ventas. De hecho, quizá sea exagerar decir «un gran director». Podría limitarme a decir que es la habilidad imprescindible de un buen director, pero eso sería omitir la necesidad y las consecuencias de valorar a los demás.

Ya lo sé, se puede argüir que estamos muy ocupados en el trabajo y en la vida para malgastar el tiempo en cumplidos; que si John es tan sensible es imposible que sea un buen director general; que ha perdido el contacto con la era digital, en la que los correos sin responder son el pan de cada día; que lo único que importa es que Tim haga bien su trabajo; que se paga a la gente para que cumplan con su cometido, y no hay por qué darles las gracias; que darle las gracias al director general por un correo amable no es más que hacerle la pelota.

Pero no me parecen argumentos válidos. Dar las gracias no requiere mucho tiempo, requiere cariño. John es un director general excelente, y el personal, la junta y los accionistas lo valoran no solo porque logra un alto índice de crecimiento y unos resultados sobresalientes. Dejar sin respuesta un correo, un texto o una llamada no es una práctica aceptada, sino que representa una crisis comunicativa de la que las personas se quejan a menudo. Tim puede ser bueno en ciertos aspectos de su trabajo, pero no «está haciendo bien su trabajo» si no valora a las personas que tiene alrededor. Y, por último, dar las gracias no es hacer la pelota: es un acto encomiable.

En un tiempo en el que todos estamos muy ocupados porque tenemos muchas cosas que hacer, es tentador dedicarse solo a escribir correos esenciales. Nos parece improductivo malgastar un momento para dar las gracias.

Pero, en realidad, es justo lo contrario. No enviar un correo de agradecimiento (ya sea para ahorrarnos tiempo o para evitar sobrecargar a los demás con mensajes) es contraproducente. Acaba generando más trabajo para todos, especialmente para quien envía el primer mensaje, porque querrá saber si lo han recibido y no dejará de enviar otro correo para confirmarlo. Un correo dando las gracias no solo confirma la recepción —ahorrando tiempo a todos—, sino que demuestra buena voluntad y fortalece la relación, la hace más sólida y evita que degenere en un conflicto que nos hará malgastar energías.

Las consecuencias de no dar las gracias son más obvias si prescindimos del elemento digital. ¿Cómo te sentirías si felicitaras a alguien y este se limitara a marcharse sin decir palabra? Sería raro, ¿no?

Dar las gracias —sinceramente y de corazón— nos hace sentir bien. No solo se siente así quien las recibe, sino también quien las da. Y esto también forma parte de nuestro trabajo. A veces es difícil recordar que detrás de cada mensaje hay una persona. A Tim le hubiera venido bien recordarlo.

Aunque parezca que ahorramos tiempo al no enviar un mensaje dando las gracias, suele ser justo lo contrario. A las personas nos gusta que valoren nuestro esfuerzo y nuestros mensajes. Hacerlo genera el tipo de buena voluntad que evitará futuros conflictos en la relación. Dar las gracias nunca es perder el tiempo.

• • • •

33 No

Pon límites a los demás

Irene es una colega excepcional. Es una alta ejecutiva de una consultoría, siempre echa una mano cuando hay mucho trabajo, hace el trabajo de quien está enfermo y se queda en la oficina hasta tarde cuando es necesario, lo que ocurre a menudo.

También es una líder que participa en juntas y recauda dinero en subastas de caridad. Intenta llegar a casa para cenar con sus hijos y también suele seguir trabajando cuando se van a dormir (eso cuando no tiene una cena de negocios).

Pero si en algún momento puedes hablar sinceramente con ella, te dirá que no se siente tan bien. De hecho, está exhausta.

Irene es incapaz de decir no. Y, como no puede decir no, dedica el poco tiempo que tiene y su energía diezmada a las prioridades de otros, mientras deja las suyas de lado. Yo también me he sentido así. De modo que, con el tiempo, he probado varias formas de decir no.

He aquí las nueve estrategias que he compartido con Irene para que le sea más fácil decir un no estratégico y dejar espacio en su vida para un sí intencional.

1. Conoce tu no.

Identifica qué es importante para ti y lo que no lo es. Si no sabes a qué quieres dedicar tu tiempo, no sabrás a qué no quieres dedicarlo. Antes de que puedas decir no con seguridad, tienes que tener claro que quieres decir no. El resto de los pasos son la consecuencia de este.

2. Sé agradecido.

No es en absoluto un insulto que los demás te pidan cosas. Te piden ayuda porque confían en ti, y creen en tu capacidad para ayudar. Así que dales las gracias por pensar en ti o por hacerte una petición. No te preocupes, esto no debe conllevar un sí.

3. No digas no a la persona, sino a la petición.

No estás rechazando a una persona, estás declinando una invitación. Es importante dejar claro este punto. Comunícale el respeto que sientes por ella, tal vez incluso la admiración que sientes por su trabajo, por su pasión o por su generosidad. Quizá te encantaría quedar para almorzar. No debes fingir, aunque no te guste la persona que quiere algo de ti. Ser amable y atento evita que la persona en cuestión se sienta rechazada.

4. Explica por qué.

Los detalles de por qué dices no no son importantes, pero es bueno tener una razón. Tal vez tienes mucho trabajo. Quizá piensas que no eres el más adecuado para hacer la tarea. Sé sincero sobre por qué dices no.

5. No te dejes intimidar: muestra tu determinación.

Algunas personas no se rinden fácilmente. Es su forma de actuar. Pero, sin incumplir ninguna de las reglas anteriores, permítete ser tan intransigente como lo son ellas. Te ganarás su respeto. Se lo puedes explicitar: «Sé que no te rindes con facilidad, pero yo tampoco. Cada vez digo no mejor».

6. Practica.

Escoge algunas situaciones fáciles, en las que no arriesgues mucho, para practicar cómo decir no. Di no cuando un camarero te ofrezca los postres. Di no cuando quieran venderte algo por la calle. Ve a una habitación solo, cierra la puerta y di no diez veces en voz alta. Parecerá una tontería, pero es de gran ayuda ejercitar el músculo del no.

7. Fija un no preventivo.

Todos conocemos a alguien que tiende a hacernos peticiones pesadas y repetitivas. En estos casos, es mejor decir no antes incluso de que te pidan algo. Hazle saber que estás muy ocupado en un par de asuntos y que está tratando de reducir cualquier otra obligación. Si se trata de tu jefe, establece con claridad a qué debes dedicar tu tiempo. Luego, cuando te pida algo, puedes recordarle la conversación.

8. Prepárate para perder oportunidades.

A algunos nos cuesta decir no porque tememos perder una oportunidad. Y decir no siempre comporta perder una oportunidad. Pero no se pierde; se sacrifica por otra. Recuérdate que cuando dices no a una petición, estás diciendo sí a algo que valoras más. Ambas son oportunidades. Sencillamente, estás escogiendo una.

9. Ármate de valor.

Si estás acostumbrado a decir sí, te costará decir no, sobre todo si quien te pide algo no se rinde con facilidad. Tal vez sientas que no eres un buen amigo, que le estás decepcionando o que no cumples las expectativas. A lo mejor piensas que hablarán mal de ti. Puede que esto sea el precio que tengas que pagar para recuperar tu vida. Necesitarás valor para sobreponerte.

Cuando Irene puso en práctica estos consejos, empezó a trabajar menos y a pasar más tiempo con sus hijos. Sigue rindiendo de forma excepcional y su jefe y sus compañeros confían en ella.

Respetan los límites que tiene —y no parecen estar resentidos por ello—, pero tuvo que olvidarse de algo que nunca supo que fuera tan importante para ella: considerarse como alguien que podía hacerlo todo. Le ha costado sentirse tan valiosa y necesaria como se sentía cuando siempre decía sí.

«¿Preferirías volver a decir sí siempre?», le pregunté.

Me respondió con un no muy bien practicado.

> Muchas personas respondemos instintivamente con un sí. Pero en un mundo que tomará todo lo que pueda de nosotros, decir no con elegancia es la manera de seguir siendo productivo y conservar nuestra cordura. Mantén el vínculo con la otra persona diciendo no a la petición y sí a la relación.

● ● ● ●

34 Remolcando el coche del hijo del vecino

Haz preguntas.
No contraataques

Eleanor y yo vivimos un tiempo en un edificio de apartamentos destinado a profesores y personal de la Universidad de Princeton. Leslie, una profesora de económicas muy impetuosa, ocupaba el apartamento encima del nuestro. Alta, inteligente, determinada y obstinada, tenía la fama de ser agresiva. Nuestra relación era cordial, pero lo cierto era que nos imponía.

Cada apartamento disponía de un aparcamiento específico y, una noche, Eleanor y yo volvimos de ver una película en última sesión y nos encontramos con un coche desconocido en nuestra plaza. Eran más de las doce de la noche, y dado que no veíamos al propietario por allí y no había otro lugar cerca donde dejar nuestro coche legalmente, llamamos a la grúa. Se llevó el coche, aparcamos y nos fuimos a dormir.

A la mañana siguiente, oímos que alguien aporreaba la puerta. Eleanor —muy a su pesar— fue a abrir.

Era Leslie: tensa, con las manos cerradas en puños, la cara roja como un tomate. En cuanto vio a Eleanor, desencadenó un torrente de acusaciones e imprecaciones. Yo estaba en el otro lado del apartamento y podía oírla claramente.

«¿Cómo me habéis podido hacer esto?», gritaba. «¡No me puedo creer que seáis tan repulsivos!»

Resultó que el coche misterioso era el de su hijo. «Odia Princeton», continuó, «porque está lleno de gente egoísta y mezquina, y no habéis hecho más que confirmar sus prejuicios.»

Eleanor, que suele ser calmada y ponderada, respondió instintivamente: «¿Nos acabas de llamar egoístas y mezquinos? Es *nuestra* plaza de aparcamiento, ¡y él aparcó allí el coche! ¡Y me gritas a mí! ¡*Nos* estás llamando egoístas y mezquinos!»

La consecuencia de estas palabras fue que Leslie se enfadó y gritó aún más. Se enzarzaron, cada una defendiendo su posición, cada vez más airadas y atrincherándose más en sus propias razones. La conversación no hacía más que degenerar, pero ninguna de ellas podía pararla o cambiarla de dirección. Cuanto más discutían, más lejos estaban de lograr una resolución positiva y útil.

Mientras escuchaba desde el otro lado de la casa, tuve un momento de calma —aunque debo admitir que estaba lleno de adrenalina— para pensar qué hacer. Mi impulso era meterme en la discusión, defender nuestras acciones, gritar más alto si era necesario y dejar claro que habíamos actuado bien, porque era lo que pensaba. Pero me resistí a la tentación de hacerlo. En última instancia, quería tener una buena relación con mi vecina y actuando así no lo habría conseguido.

En lugar de esto, me pregunté qué quería Leslie.

La respuesta me pareció obvia de inmediato: dado que estaba gritando, lo que quería era que la escucharan. Cuando sintiera que comprendíamos su punto de vista y que estaba muy enfadada, yo estaba seguro de que se iba a calmar. Entonces podríamos hablar. Si quería tener una conversación productiva con Leslie, lo primero que necesitaba era que se relajara. Así que, más que discutir, tenía que escuchar.

Pero necesitaba una forma de dar el primer paso. Algo que demostrara claramente mi intención de tener una conversación de verdad con ella. También tenía interrogantes sobre qué era lo que realmente estaba ocurriendo. Por lo tanto, lo primero que tenía que hacer era hacerle preguntas y tratar de comprender de dónde provenía todo aquello.

Para ello, eran necesarias preguntas abiertas, de exploración: quién, qué, cuándo, dónde, cómo, por qué, etc. Preguntas que aclararan lo que estaba diciendo y sintiendo, que me ayudaran a ver la situación desde su perspectiva. Debía mantenerme alejado de preguntas y aseveraciones que no fueran sinceras, como: «No me vas a decir que te crees eso, ¿verdad?» Después de preguntar, me limitaría a escuchar y a seguir el hilo de su argumentación para asegurarme de que entendía de verdad la situación, no con el objetivo de manipularla, sino porque realmente quería comprender a Leslie.

Con un plan para calmarla, me armé de valor. Sentí mi corazón latir mientras caminaba hacia el recibidor, donde ella y Eleanor intercambiaban gritos.

«Hola, Leslie», interrumpí, «veo que estás muy enfadada. ¿Qué pasa?»

Me miró como una nueva víctima sobre la cual abalanzarse. «Enfadada ni siquiera *empieza* a describirlo...» No era fácil sencillamente aguantar sus invectivas y escuchar, pero es lo que hice. Y le pregunté cosas. Y escuché un poco más. No lo hice solo para aplacarla, sino para comprender mejor qué era lo que le ocurría.

Funcionó. Al final me pareció comprender por qué estaba tan enfadada.

Después de varios minutos, dije: «A ver si lo entiendo bien: tu hijo te visita de uvas a brevas y quieres que se lo pase realmente bien cuando está contigo. Y luego las personas que pensabas que eran unos buenos vecinos han llamado a la grúa para que se lleve su coche. No solo te parece que te hemos traicionado, sino que además le hemos dado a tu hijo otra razón para que no venga a visitarte. Comprendo por qué estás enfadada. Yo también lo estaría».

«Sí, exacto», replicó un poco más suavemente. Y luego... nada. Se quedó en silencio. No tenía nada más que decir. Había comprendido la razón de por qué había reaccionado así. La transacción emocional se había completado. La habían escuchado.

En ese momento, hubo lugar en la conversación para que yo le dijera que lo sentíamos y que, dado que su hijo venía tan poco, no habíamos reconocido su coche. Y como no había nota alguna, nosotros no podíamos saber que era suyo. Y puesto que era más de medianoche (demasiado tarde para ir picando en las puertas de los vecinos para ver de quién era el coche), tomamos la mejor decisión que pudimos con la información que teníamos. Aun así, sentíamos haber llamado a la grúa. Y sentíamos que su hijo viniera a visitarla tan poco.

Se produjo un silencio. Luego, para nuestra sorpresa, sonrió.

«Gracias», dijo. Y pidió perdón por que su hijo hubiera aparcado el coche en nuestra plaza sin dejar una nota. También se disculpó por gritar.

La única razón por la que fui efectivo en esa situación fue que tuve tiempo para pensar. Pero, aunque creo sinceramente que es esencial calmarse antes de reaccionar, sé que es difícil hacerlo en medio de una pelea. Si yo, en lugar de Eleanor, me hubiera encontrado a Leslie en la puerta habría reaccionado incluso más a la defensiva que ella. Es la reacción visceral que no funciona: defenderse, discutir, gritar.

Cuando se aprende un arte marcial, se practica un movimiento infinitas veces hasta que se convierte en automático y puedes utilizarlo cuando estás en peligro. Aquel día me di cuenta de que necesitaba una técnica equivalente en la conversación. Así que decidí hacer un cambio. Creé un nuevo hábito para cuando me siento atacado: hago preguntas.

Siempre que me cogen por sorpresa y no sé qué decir, hago una pregunta. Aunque esa pregunta sea: «¿Puedes decirme algo más?» Esto provoca que la otra persona hable y, en una conversación delicada, siempre es útil dejar que los demás se expresen primero. Se vuelven más accesibles, tal vez te digan algo que cambie tu perspectiva o, como mínimo, que te ayude a expresar tu perspectiva para que la entiendan, y les darás un ejemplo —escuchar— que es muy posible que imiten.

Aquella noche, volvieron a llamar a la puerta, y Eleanor y yo dimos un respingo. «Te toca», dijo ella. Era Leslie otra vez. Me preguntó si queríamos pedir algo de comer.

Sorprendido por este gesto, respondí instintivamente: «¿Qué habías pensado?»

> Siempre que te cojan por sorpresa o te sientas atacado, resiste la tentación de ponerte a la defensiva. En lugar de eso, haz una pregunta. Es mucho más probable que se calme la situación y no perderás tiempo discutiendo ni acusando a nadie.

Tercera parte

Optimiza tus hábitos laborales

En la primera y en la segunda parte, te he explicado que cuatro segundos es todo el tiempo que necesitas para sustituir los hábitos perjudiciales por otros que te ayudarán a conectar contigo y con los demás. Ahora, el reto consiste en dar un paso más para aprovechar completamente este poder: adoptar comportamientos que te ayudarán a trabajar y dirigir de una manera que te inspirará a ti mismo y a los demás, para que también ellos den lo mejor de sí mismos.

¿Recuerdas que se me inundó la cocina? Después de que Sophia, Daniel y yo la limpiáramos, aún teníamos trabajo por hacer. Me senté con los dos y les pregunté qué nos quedaba pendiente.

«¿Nos vas a castigar?», preguntó Sophia.

«No», respondí. «Creo que ya sabéis qué hicisteis mal y que no lo vais a repetir.»

«Pues entonces no se tiene que hacer nada más», concluyó Daniel.

«De nuevo, no», dije. «¿A quién más le puede afectar que se haya inundado la cocina?»

Les llevó un par de minutos, pero con mi ayuda se percataron de que el agua podía haberse filtrado al piso de abajo.

«Así que ¿qué tenemos que hacer?», pregunté.

«¡Deberíamos bajar y comprobarlo!», exclamó Daniel, claramente excitado por esta novedad.

«¿Y...?»

«¿Y disculparnos?», añadió Sophia.

De modo que bajamos las escaleras para hablar con los vecinos y responsabilizarnos por la inundación (de hecho, sí que se había filtrado a su apartamento). Nos disculpamos y les preguntamos si podíamos ayudarlos a arreglar aquel desastre. Estaban agradecidos y valoraron que hubiéramos bajado a decírselo.

En el trabajo y como líderes, tenemos una responsabilidad doble:

lograr objetivos determinados e incentivar personas y equipos con competencias distintas. Es mucho más fácil hacer una de estas dos cosas y olvidar la otra: lograr nuestros objetivos, pero desentendernos de las personas, o preocuparnos por los demás, pero no lograr lo que nos hemos propuesto.

Cuando mis hijos inundaron la cocina, tenía los dos propósitos en mente: resarcir el daño e implicarlos para que desarrollaran sus habilidades en el futuro. Respirar hondo y resistir la tentación de gritarles (primera parte), conectar con ellos y ver qué necesitaban (segunda parte) y luego implicarlos para que se responsabilizaran (tercera parte) son los ingredientes de un buen liderazgo.

En la tercera parte aprenderás cómo evitar las reacciones viscerales que o bien impiden que las personas hagan lo que tienen que hacer, o bien socavan sus sentimientos y les impiden hacer nada. Aprenderás a superar la tentación de hacer cosas que tienen resultados negativos, y en lugar de esto sabrás motivar a las personas para que se impliquen, y persistan, en acciones que marcarán la diferencia para lograr los objetivos importantes. Aprenderás a comportarte de manera que dejarás espacio para que los demás colaboren, cambien y den lo mejor de sí. Descubrirás:

- por qué no se puede contrarrestar la negatividad con el buenismo, y la estrategia para transformar las malas actitudes en buenas;

- por qué asumir el mérito por los resultados puede ser contraproducente, y por qué otorgar el mérito a los demás te otorga valor;

- por qué asumir la responsabilidad por el error de otro puede ser la acción de liderazgo más importante que puedes hacer;

- por qué las personas se resisten al cambio, pero aceptan la forma en cómo lo gestionamos, y por qué la fuerza de voluntad y la disciplina son estrategias en las que no puedes confiar para un alto rendimiento, y con qué puedes sustituirlas.

A medida que leas los capítulos de la tercera parte, te sentirás más seguro en tu trabajo y liderazgo, actuarás de una forma que, rutinaria y prediciblemente, mejorará tu rendimiento y el de la gente que te rodea para conseguir los resultados que quieres.

35 Liderazgo de peluquería

Mantén la calma

Me recosté en la silla, cerré los ojos y, casi inmediatamente, sentí que mi cuerpo se relajaba. Un segundo después, un chorro de agua caliente me mojaba el cabello mientras unas manos fuertes y hábiles me hacían un masaje en el cuero cabelludo. Por un momento, mi estrés desapareció, como si se lo hubiera llevado el agua.

Podía haber estado de vacaciones en cualquier balneario exótico del Caribe, pero estaba en Nueva York, en un día de trabajo, vistiendo traje y dejando que me cortaran el pelo. Después del champú, con un leve paréntesis de tranquilidad, me llevaron a una silla y Avi, el propietario de la peluquería, me empezó a cortar el pelo. Empezamos a charlar cuando, de repente, hubo un pequeño alboroto. Por el espejo, vi que Avi miraba alrededor para saber qué pasaba.

Uno de los estilistas, Jon, hablaba con otro compañero haciendo grandes aspavientos y claramente contrariado. Los demás clientes empezaron a mirarle, un poco incómodos, sin saber muy bien qué ocurría. Avi se disculpó y se acercó a Jon. Le susurró unas palabras y escuchó. Pocos segundos después, Jon se había calmado.

Avi se dispuso a seguir cortándome el pelo, se disculpó de nuevo, hizo una broma —pero no a costa de Jon— y siguió con su trabajo.

«Avi», le dije, «sabes que tengo que preguntártelo. ¿Qué ha ocurrido?»

Resultó que Jon había tenido una discusión con una clienta por teléfono. Le había pedido que la peinara el día de su boda, pero le sorprendió cuánto quería cobrarle por ello, bastante más que un simple corte de pelo. Trató de explicarle que debería faltar un día entero a la peluquería y que debía compensarlo por ello. Aun así, ella se había enfadado, lo cual tampoco le sentó bien a Jon, y de ahí provenía el jaleo.

Pero esto, sentenció Avi, nunca debía ocurrir en su peluquería.

«¿El jaleo?»

«Cualquier cosa que no sea profesional. Siempre estamos en el punto de mira. Es un espacio abierto. Todo lo que hacemos está a la vista. No quiero que los clientes, los estilistas o la recepcionista —nadie, en fin— se sienta incómodo.»

Fue entonces cuando lo comprendí: todos trabajamos en una peluquería.

No hace mucho estuve en la sala de negociación bursátil de un banco importante. Cientos de personas estaban sentadas una al lado de la otra en filas, todos a la vista de todos. El jefe del departamento, uno de los diez altos cargos de aquella empresa de miles de millones de dólares, trabajaba en un despacho con paredes de cristal. No había lugar donde ocultarse.

Y no solo ocurre en lugares como este. Muchos de los nuevos edificios de las empresas se han construido de manera que, desde el director general hasta el recepcionista, son todos visibles. Incluso en edificios más antiguos todos tienen cubículos o paredes de cristal. Este estilo arquitectónico refleja un estilo de dirección: estamos derribando las paredes que nos separan, tratamos de suavizar la jerarquía, ser más transparentes. También refleja un estilo social promovido por Internet con el que se hace público, en fin, prácticamente todo.

En otras palabras, no hay lugar donde ocultarse.

Antes, podías estar calmado y ser profesional delante de todo el mundo y luego entrar en el despacho y perder los estribos. Este desahogo inocuo no afectaba a nadie. Pero ahora que nuestros despachos están hechos de cristal —o, peor, están en medio de todos los demás—, perder los estribos es perder profesionalidad. Nuestros compañeros nos pierden la confianza y el respeto.

Así que cuando Avi se percató de que Jon estaba perdiendo la compostura, sabía dos cosas: 1) todo el mundo estaba mirando a Jon, y 2) todos se preguntaban qué iba a hacer Avi al respecto. Este pasó la prueba. Mantuvo la compostura, habló a Jon con cariño y le hizo saber que sería mejor que él, como responsable de la peluquería, pactara el precio con la clienta. Se comprometió a hacerlo después de cortarme el cabello.

«Cuando eres el responsable», me dijo, «debes tener una buena actitud, estar relajado, controlarte. Aunque tengas una bola en el estómago porque ves que las cosas no van como debieran ir.»

Avi puso en práctica las nuevas normas profesionales en un espacio de trabajo abierto. Todos tenemos una tendencia natural a desahogarnos, pero en los entornos laborales actuales es casi imposible desahogarse sin dar una impresión negativa a quienes nos rodean. Si no puedes controlar tus emociones, escribe un diario con toda la ira que quieras. O vete al lavabo y ponte a patalear. O date un paseo.

Pero, en público, cálmate. Apoya a los demás. Muestra que eres el líder evitando —y, cuando sea necesario, gestionando activamente— cualquier alboroto que pueda distraer, avergonzar o incomodar a los demás. Y, nunca, nunca, provoques tú el alboroto.

«¿Sabes?», siguió Avi, «los estilistas pueden ser, bueno, un poco frágiles y temperamentales. Hay que tratarlos con cariño. Si no, dejan el trabajo.»

Tiene razón. Pero no solo respecto a los estilistas, sino respecto a las personas en general. Todos somos un poco frágiles y, en ocasiones, temperamentales. A todos nos tienen que tratar con cariño. Salí de la peluquería una hora después de haber entrado, con un corte de pelo excelente y más relajado de lo que lo había estado desde hacía tiempo. Y esto me hizo darme cuenta de una cosa más.

Si estás en una situación en la que cuesta ser profesional —cuando, por alguna razón, estás enfadado, irritado o angustiado— y respirar hondo o beberte un vaso de agua no te calma, date un paseo. Sal de la oficina, o de cualquier lugar en el que estés. Luego, si tienes tiempo, dirígete a la peluquería de tu barrio y pide que te laven y corten el pelo. Saldrás recompuesto, relajado y mucho más profesional.

Resístete a la tendencia natural de desahogarte en el trabajo. Si no puedes controlar tus emociones, si estás enfadado o irritado, márchate de ese lugar. Debemos ser diligentes y disciplinados en nuestra forma de comportarnos porque, como dice Avi, siempre estamos en el punto de mira.

● ● ● ●

36 George Washington contra la Super Bowl I

Trata a los individuos individualmente

«Siempre me han encantado las estadísticas», escribió Don Steinberg en el *Philadelphia Inquirer*[11] cuando explicaba por qué había inventado el American Bowl, un concurso que comparaba presidentes estadounidenses con Super Bowls para ver quién ganaba.

El año en que se publicó el artículo, Estados Unidos ya había tenido cuarenta y cuatro presidentes y tenía lugar la cuadragésima cuarta Super Bowl. «En America Bowl compararemos un presidente con la Super Bowl que le corresponda por número», aclaraba en su página web. «Cada día ganará uno, y se apuntará un punto.» Por ejemplo, el primer día del concurso George Washington se comparó con la Super Bowl I. Ganó George. Presidentes: 1; Super Bowls: 0.

«¿Qué ha sido mejor?», se pregunta Don, «¿las Super Bowls o los presidentes? ¡Por fin vamos a saberlo!»

Qué locura, ¿no? Quiero decir, ¿cómo se puede comparar una Super Bowl con un presidente? No es como comparar naranjas y manzanas, sino naranjas y mandriles. Por supuesto, esta es la razón de por qué es divertido y por qué, según *The Economist*, es «una placentera forma de perder el tiempo».

Pero muchas personas perdemos horas cada día comparándonos

con los demás. ¿Cómo se puede comparar nuestro trabajo? ¿Cómo se pueden comparar nuestras empresas? ¿Cómo se comparan nuestras cuentas de banco, nuestro aspecto, nuestros hijos? Y no solo nos comparamos nosotros con los demás, sino que también comparamos a unos con otros, como cuando clasificamos a los empleados o comparamos a los miembros de un equipo.

Pero, si todos lo hacemos, ¿realmente comparar es un hábito tan malo?

Sí, puede serlo, porque a) es imposible hacerlo bien, y b) cuando lo intentas, tiene unas consecuencias nefastas.

A) *¿Por qué comparar es imposible?*

Piensa en los Juegos Olímpicos de Invierno. Los esquiadores de la prueba de descenso se clasifican según un solo criterio muy simple: el tiempo. Es un buen uso de la clasificación. Lo mismo ocurre con el campeonato femenino de hockey sobre hielo: el equipo que marque más goles gana el partido, lo cual es otro buen ejemplo de clasificación.

Pero ¿y si comparamos los esquiadores de descenso con las jugadoras de hockey sobre hielo y queremos clasificarlos según su rendimiento?

Es imposible, por supuesto, porque el tipo de juego es diferente. Así que ¿cómo clasificamos a Bill, de contabilidad, con Jane, de ventas? E incluso si hacemos la clasificación en un mismo departamento, las tareas son lo bastante diferentes como para que no se puedan clasificar los rendimientos. ¿Se pueden comparar los esquiadores de descenso con los de eslalon? Son esquiadores, pero la competición es incomparable. Esta es la razón por la que les dan dos medallas de oro diferentes y por qué, casi siempre, las ganan diferentes esquiadores.

En última instancia, comparar pasa por alto el principio básico humano de la gestión del talento: saber que cada persona es única. Los grandes directores maximizan el efecto del talento único de cada persona para lograr un resultado positivo. Comprenden bien a cada uno de sus empleados para darles el cargo idóneo, el puesto exacto, que acentúa los excepcionales puntos fuertes de cada persona y mitiga sus debilidades personales. No gastan energía comparando a unos con otros. Centran sus esfuerzos en comparar a cada persona con la tarea particular que les encargan. A menos que todos hagan lo mismo y exactamente de la misma forma —lo cual es muy raro—, compararlos es una pérdida de tiempo. No, es peor que perder el tiempo, es gestionar mal.

B) *De acuerdo, no se puede comparar, pero ¿por qué intentarlo es tan perjudicial?*

Cuando pondero los puntos fuertes del equipo de un director general, me fijo, más que nada, en cómo trabajan juntos. ¿Los altos ejecutivos se responsabilizan de los problemas generales de la empresa incluso si no tienen nada que ver con sus tareas particulares? ¿Están dispuestos a sacrificar el éxito de su división o región para apoyar el éxito general de la empresa?

Así se logra un buen resultado con el trabajo en equipo. Es precisamente el tipo de trabajo en equipo que hace que un director tenga éxito a largo plazo, un trabajo en equipo que no promueve la comparación. ¿Acaso esperamos que un empleado ayude a otro para que tenga éxito si justamente lo premiamos cuando los otros fracasan?

Las personas aprenden asumiendo riesgos, cuando salen de su zona de comodidad y asumen papeles demasiado grandes para ellos, cuando cometen errores y los corrigen. Esto significa que su rendimiento *bajará* si están aprendiendo. Pero si clasificas a tus empleados, acabarás penalizándolos porque asumen riesgos. En otras palabras, lo que les dices es lo siguiente: «Si quieres que te pague bien, deja de aprender». ¿Esperamos que asuman retos exigentes si les vamos a pagar menos por ello?

«Nunca esperé que esta locura del America Bowl se propagara como un reguero de pólvora», observó Don Steinberg.

La cuestión es evitar que acabe haciendo explotar nuestra empresa.

Comparar —a uno mismo con los demás, o a los otros entre ellos mismos— no lleva a ninguna parte. Cada persona tiene una mezcla única de habilidades, motivaciones, pasiones, capacidades, puntos fuertes, debilidades, un carácter y una personalidad única. Tratar a los individuos individualmente mejora el rendimiento, la lealtad y la gratitud.

•   •   •   •

37 Quejarse con quejicas

Neutraliza la negatividad

«Se me está acabando la paciencia», me dijo Dan, el jefe de ventas de una empresa de servicios financieros. «Hay tantas oportunidades —la empresa está creciendo, el trabajo es interesante y las primas deberían ser bastante generosas este año—, pero todo lo que oigo son quejas.»

Cuando se encontraba a sus empleados en el pasillo y les preguntaba qué tal les iba, respondían con un comentario sarcástico sobre un cliente, o refunfuñaban porque tenían montañas de trabajo.

«¿Cómo puedo cambiar la dinámica negativa que asuela a mi equipo?», me preguntó.

Le pregunté qué era lo que había hecho al respecto. «Al principio, les resaltaba cuántas oportunidades teníamos frente a nosotros, y les repetía la declaración de objetivos», me contó. «Quería recordarles cuál era nuestra meta. ¿Y ahora?», alzó las manos al aire. «Estoy indignado. Solo quiero que se motiven de una maldita vez.»

Ambas respuestas de Dan son completamente naturales e intuitivas. Por desgracia, también son totalmente ineficaces. Primero, quiso contrarrestar la negatividad con buenismo. Como no funcionó, él mismo se volvió negativo. Las dos respuestas provocan el mismo resultado: más negatividad.

La razón es la siguiente: contrarrestar la negatividad con buenismo no funciona porque se enfrentan. A las personas no les gusta que las contradigan emocionalmente, y si tratas de convencerlas de que no deberían sentir tal o cual cosa, solo logras que lo sientan con más obcecación. Y si, como líder, intentas ser positivo, es todavía peor porque parece que estés fuera de una realidad que todos los demás perciben.

La otra estrategia instintiva —confrontar negatividad con negatividad— no contrarresta, sino que suma. Una reacción negativa a una reacción negativa solo añade más leña al fuego. La negatividad provoca negatividad.

Así que ¿cómo enfrentarse a ella?

Descubrí la respuesta cuando cometí el mismo error que Dan. Eleanor se quejaba de que los niños estaban siempre peleándose. Al principio, traté de convencerla de que todos los niños se pelean y que con los nuestros no había para tanto. Luego me frustró que se quejara tanto y se lo comenté. Se enfadó. ¿Quién no lo haría? Pero luego hizo algo muy útil para mí: me dijo lo que necesitaba.

«No me quiero sentir sola en esto», comentó. «Quiero saber que me entiendes. Quiero que me digas que estamos en esto juntos. Y, si también te sientes frustrado, lo quiero saber.»

De hecho, también me sentía frustrado, pero trataba de no ser negativo, lo cual hacía que nuestra interacción fuera aún más negativa. Después de mi conversación con Eleanor, me di cuenta de algo sorprendente: no es necesario cambiar la respuesta. Tienes que redirigirla.

Lo que Dan había hecho con sus empleados fue responder negativamente contra ellos («Solo quiero que se motiven de una maldita vez») y positivamente contra ellos («...les resaltaba cuántas oportunidades teníamos frente a nosotros»). Pero la reacción más productiva es responder negativamente *con* ellos y positivamente *con* ellos.

Lo que propongo es un proceso en tres pasos que cambia la dinámica negativa de las personas:

1. Comprende cómo se sienten y reconócelo.

Esto te puede costar porque tal vez pienses que estás reforzando su sensación de negatividad. Pero no es cierto. No aceptas su negatividad ni la justificas. Solo les muestras que comprendes cómo se sienten.

2. Busca un punto de acuerdo.

No tienes que estar de acuerdo con todo lo que dicen, pero, si es posible, en algo sí que puedes estarlo. Si compartes alguna de sus frustraciones, hazles saber cuál.

3. Identifica en qué son positivos y refuérzalo.

No quiero decir que trates de convencerlos para que sean positivos, sino que prestes atención a cualquier sentimiento positivo que muestren. Y lo más probable es que muestren alguno porque no es habitual encontrar a personas completamente negativas. Si son completamente negativas, entonces asegúrate de que vean que apoyas a otros que son positivos. La idea es prestar una atención positiva a los sentimientos positivos y ofrecer una esperanza concreta, una esperanza basada en los sentimientos positivos reales que las personas ya tienen, más que en sentimientos positivos que tú crees que deberían tener.

En el tercer paso, reaccionas *positivamente* con los otros, no contra ellos. Les muestras que los apoyas. Y les haces saber que les recompensarás —con tu apoyo y atención— cuando digan o hagan algo positivo. Transformas una tendencia a la baja en una tendencia al alza. Cuando hablé con Eleanor, le pregunté qué nos había funcionado en el pasado para que los niños jugaran sin pelearse. Se refirió a la mañana anterior, cuando concentramos de manera proactiva su atención en un proyecto artístico. También funcionó, dijo, cuando tomamos a cada hijo por separado para hacer un ejercicio o un proyecto.

En menos de cinco minutos, la conversación pasó de una dinámica negativa a una positiva.

No es fácil llevar a cabo estos tres pasos porque tenemos que enfrentarnos a nuestra tendencia altamente emocional —a veces incluso racional— a ser negativos cuando alguien se queja. Cuando hablé al principio con Dan, estaba a punto de despedir a algunos de los miembros de su equipo. Esto, por supuesto, habría aumentado la negatividad de los que se quedaban. En lugar de esto, empezó a escuchar y a reconocer su negatividad. Lo que halló bajo las quejas fue miedo. La empresa había despedido a varios trabajadores y los que quedaban estaban temblando. ¿Estaba en riesgo su puesto de trabajo?

Dan no podía decirles que no, especialmente después de considerar el despido de algunos. Pero lo que sí hizo fue escucharlos y decirles que compartía parte de su angustia. No por miedo a que fueran a despedirlo, sino porque le inquietaba tener que cumplir objetivos y carecer de personas para hacerlo. En otras palabras, fue negativo con ellos (segundo paso).

Luego resaltó algunos puntos positivos que había advertido en su equipo: que asumían riesgos inteligentes, que colaboraban muy bien en ventas complejas, que hacían buen equipo con los clientes. Todo esto contribuía a que la empresa creciera y, por lo tanto, a que conservaran sus puestos de trabajo. Es decir, fue positivo con ellos (tercer paso).

Antes, Dan no perdía ni una oportunidad para resaltar —y criticar— a alguien con una actitud negativa. Después no perdía ni una oportunidad para resaltar —y elogiar— los aspectos positivos de un trabajador. Y funcionó. Al final, la dinámica en el equipo de ventas cambió y trabajaron juntos para ganar el cliente más importante que jamás había tenido la empresa.

¿Y respecto a mí? En caliente, aún me frustro con la frustración de los demás. Pero seguir estos tres pasos me ha ayudado mucho. ¿Y tener una socia que me los recuerda? Eso me ayuda aún más.

Nunca enfrentes tu positivismo a la negatividad de otra persona. Si quieres que otros cambien de actitud, primero intenta estar de acuerdo con ellos.

38 Había que quitar las ruedas de apoyo

Deja que fracasen, o casi

«Ponme de nuevo las ruedas de apoyo», me dijo Sophia con un tono serio, «¡o no vuelvo a montar en bici!» Había cumplido cuatro años aquel día y quería aprender a montar en bici como su hermana mayor. Ahora ya no estaba tan segura.

Después de animarla mucho y de que yo insistiera, estaba dispuesta a intentarlo. Acordamos que practicaría quince minutos al día hasta que aprendiera. Dos días después, estábamos estancados. Y no es que no lo intentara, más bien no parecía capaz de mantener el equilibrio.

Luego caí en la cuenta: yo era el principal obstáculo. No quería que mi niña se hiciera daño. Y tenía miedo de que, si se caía, no quisiera volver a intentarlo. Así que, tan pronto como se inclinaba hacia un lado —aunque solo fuera un poco—, yo la agarraba. Es decir, Sophia seguía llevando ruedas de apoyo: yo era las ruedas de apoyo. Si mi intención era que aprendiera, tenía que mantenerme al margen, literal y figurativamente. Mi plan no era que se cayera al suelo, sino que debía dejar que se desequilibrara un poco más para que pudiera retomar el control por ella misma.

Para aprender a montar en bici —o, de hecho, para aprender cualquier cosa—, no hay que hacerlo bien. Se trata de hacerlo mal y saber enderezarse. Para aprender no debes mantener el equilibrio, sino que debes recuperarlo. Y no puedes recuperar el equilibrio si alguien, en primer lugar, te impide perderlo.

De modo que mi tarea era mucho más difícil. Tenía que afinar mi percepción. ¿Se estaba escorando hacia la izquierda? ¿Debía agarrarla antes de que cayera al suelo? ¿O solo se estaba inclinando? ¿Podría girar hacia el otro lado y enderezarse? Debía calcular muy bien el momento de agarrarla.

Aquel reto —saber en qué momento agarrarla— es el mismo al que se enfrentan los directores. Es el equilibrio entre el exceso de control y la negligencia. Permitir el fracaso mientras aseguramos la seguridad de los empleados y la empresa.

Si un empleado acude a ti con una presentación que no da la talla, ¿qué haces? ¿Mejorarla y presentarla tú mismo? ¿Decirle qué es lo que está mal y que lo solucione él? ¿Dejar que haga la presentación sin modificarla y que se enfrente a las consecuencias? Todas estas opciones son válidas según las circunstancias.

Nuestro trabajo es calibrar las circunstancias correctamente. ¿Cuáles son los riesgos y las consecuencias del fracaso? ¿Vas justo de tiempo? Si fracasa, ¿tirará por la borda su reputación para siempre? ¿O será una buena experiencia para aprender? Una vez evaluadas las circunstancias, podemos adaptarnos, cambiar nuestra reacción para ayudar al empleado a recuperarse, mantenerse erguido y seguir pedaleando.

Adaptarse es más difícil de lo que parece. Significa resistirse a nuestras tendencias naturales o al menos cuestionarlas. Porque todos tenemos una reacción preferente cuando no se cumplen nuestras expectativas. ¿Qué haces cuando has dado indicaciones a un empleado y no las sigue?

Tal vez le dices más claramente qué es lo que esperas de él y le pides que lo vuelva a intentar. Quizá le preguntes cuál era su idea y cómo prevé abordar la cuestión la próxima vez. O puede que te sientes con él para hacerlo juntos. O a lo mejor lo haces tú mismo. La cuestión es que, si debes elegir una de estas opciones, ¿cómo lo haces?

Una opción es la siguiente: pregúntate cuánto le costará recuperarse. ¿Está muy cerca del suelo? ¿Se está cayendo o solo inclinándose? ¿Qué puede ayudarle para recuperar el equilibrio? ¿Qué puedes hacer para que tenga la oportunidad de enderezarse?

Cuando empecé a enseñar a montar en bici a Sophia, me inventé todo tipo de excusas para ella. Solo tenía cuatro años, y su hermana tenía seis cuando empezó a montar en bici. Me preguntaba si la estaba presionando demasiado. Mi tendencia natural era rescatarla.

Pero, al final, me di cuenta de que todo esto eran excusas mías. Tenía miedo de que se lastimara las rodillas, o de socavar su confianza, así que no le daba la oportunidad de fracasar, lo que significa, en realidad, que no le daba la oportunidad de tener éxito.

Tan pronto como cambié mi actitud con Sophia —y eso ocurrió el tercer día—, aprendió a mantener el equilibrio mientras pedaleaba. Al día siguiente, aprendió a frenar ella misma, y un día después aprendió a ponerse en marcha ella sola. Al final del sexto día, ya sabía hacer un ocho con la bici. Y sin ruedas de apoyo.

> Nuestro instinto natural es impedir el fracaso, pero esto también impide el aprendizaje. Tu tarea como líder es formar un equipo independiente y capaz, lo cual significica aprender cuándo dejar que fracasen y cuándo rescatarlos.

39 ¿Listo para ser un líder?

Promueve el éxito de los demás

Una de mis clientes, Barbara, es una tecnóloga muy dotada de una empresa de servicios financieros. Dirige un departamento importante y es sumamente respetada. Empecé a trabajar con ella porque no la habían tenido en cuenta varias veces cuando sus jefes consideraban los aspirantes a directores ejecutivos. Le dijeron que le faltaba actuar como un «alto ejecutivo».

Cuando conversé con Barbara, ella no sabía qué significaba actuar como un «alto ejecutivo», pero se figuró que necesitaba más visibilidad para que los demás se percataran de su buen trabajo.

Así que empezó a promocionarse. Se aseguró de que sus colegas conocieran sus proyectos. Les informaba de todo lo que hacía. Les enviaba correos explicando sus éxitos. Dejó de almorzar en su despacho para salir con otros altos cargos siempre que podía. No es que fuera agresiva o extrema en su actitud, pero deliberadamente trataba de destacarse a sí misma y a su departamento.

La estrategia era razonable, pero generaba el resultado opuesto al que buscaba. Sin saberlo, estaba emitiendo las típicas señales de una primeriza. Los altos cargos no buscan visibilidad para sí mismos, sino que tratan de que los demás tengan visibilidad. No la necesitan para ellos: ya la tienen. Son altos cargos y todo el mundo lo sabe.

Una vez, en un viaje en avión, me tocó un asiento entre un tipo en buena forma que comía una ensalada y otro con un sobrepeso ostensible que comía una barrita dietética South Beach. La barrita de caramelo es un ejemplo del problema: el hombre que la comía estaba preparando su fracaso. Si quieres estar en forma, no hagas lo mismo que hacen los que tienen sobrepeso. En lugar de esto, haz lo que hacen los que están en forma. Actúa como si ya estuvieras en forma y come ensalada, no barritas.

El truco para ser un alto ejecutivo es actuar como si *ya* fueras un alto ejecutivo. Haz lo que los altos ejecutivos hacen *después* de serlo, no lo que crees que se debe hacer para llegar a ser un alto ejecutivo.

Cuando percibió la diferencia, Barbara cambió de estrategia. Ensalzaba a otras personas, les reconocía los méritos e intentaba que los ascendieran. También trasladó el centro de interés de su departamento a la empresa en general. Los altos cargos que triunfan no priorizan sus departamentos sobre otras áreas: piensan en lo mejor para toda la empresa.

En una de las empresas con las que trabajo, observé que un director de operaciones estaba presionando para subir los salarios de su equipo cuando la empresa los había congelado. Él pensaba que era un gran defensor de sus colaboradores, pero lo que percibieron sus superiores es que no comprendía la perspectiva general de la empresa. Lo vieron como un novato, incluso peor: pensaron que no sabía colaborar.

En otra empresa, el jefe de una zona presionó para cubrir sus necesidades regionales, incluso a costa de las necesidades generales de la empresa. Podría parecer razonable. Después de todo, si no defiende su zona, ¿qué debería defender? Pero, en última instancia, fracasó. Si quieres participar en las reuniones de alta dirección, no defiendas tu área. Debes comprender mejor que nadie tu área, pero defender la empresa en conjunto, incluso si daña tus intereses específicos. Es lo que hacen los altos ejecutivos.

Como líder, la mejor forma de servir a tus intereses es defender los intereses de toda la empresa. En lugar de pensar como la jefa de un equipo, Barbara empezó a considerarse responsable de la empresa en su conjunto.

En el pasado había tratado de que los mejores trabajadores se quedaran en su equipo, incluso si el puesto se les quedaba pequeño o si se aburrían con su trabajo. Ahora buscaba oportunidades en otras áreas de la compañía y promocionaba a sus mejores empleados para que siguieran creciendo. En el pasado dedicaba la mayor parte del tiempo a defender sus opiniones, porque creía que esto le hacía parecer una experta. Ahora hacía más preguntas y se interesaba por los puntos de vista de los demás, lo que la hacía más sensata y abierta.

Actuar con sensatez la convertía en una persona sensata. No solo empezó a parecerse a una alta ejecutiva, sino que se convirtió en una de ellas, y añadió valor a la empresa.

Una vez, Kurt Vonnegut dijo: «Somos lo que simulamos ser, así que hay que prestar atención a lo que simulamos ser». Para él era una advertencia, pero sirve igual como consejo.

Cuando volvieron a quedar puestos vacantes, Barbara fue nombrada directora ejecutiva.

> Aunque pueda parecerte útil, promocionar tus propios éxitos o defender tu equipo de manera demasiado agresiva puede ser contraproducente. Apoyar el éxito de los demás, no solo el tuyo o el de tu equipo, es una buena forma de apoyar tu éxito a largo plazo.

● ● ● ●

40 ¿De quién es el mérito de una gran película?

Comparte la gloria

Durante el Festival de Cine de Sundance, paseé por la calle principal de Park City, en Utah, con mi amiga Allison, una directora de *casting* que parecía conocer a todo el mundo. Nos paramos para saludar a un actor que estaba decepcionado por la recepción que había tenido en el festival. «Los actores son quienes realmente hacen la película», me dijo. «El guión es únicamente negro sobre blanco en la página. Es el actor quien le insufla vida.»

Más tarde, nos topamos con otro amigo de Allison, un escritor que también había participado en una película del festival. También estaba disgustado, y la conversación fue sorprendentemente parecida. «La película la crea el escritor», afirmó. «Es quien inventa la historia, el responsable de la película.» No hablamos con ningún director aquella noche, pero estoy seguro de que si lo hubiéramos hecho habríamos oído que la parte más importante de una película es la voz creativa del director.

Ese paseo tuvo lugar en el Festival de Sundance, pero podía haber sido por el pasillo de casi cualquier empresa en un día normal.

¿Quién es el responsable —quién tiene más mérito— de un producto o servicio que genera unos ingresos importantes? ¿El equipo que lo diseñó? ¿Los que hicieron el marketing? ¿Los que lo vendieron?

¿Los representantes que transmitieron la confianza a los clientes que lo compraron? ¿El alto ejecutivo que diseñó la estrategia?

No todas las personas en el equipo son igual de valiosas, ¿verdad? Piensa en los equipos de algún deporte: hay estrellas, que cobran decenas de millones, y otros que, en fin, ganan mucho menos. Es la ley de la oferta y la demanda: algunas personas son más fácilmente reemplazables que otras.

Así que, siguiendo esta lógica, deberíamos decir que los mejor pagados, los más visibles, los más insustituibles son los responsables del éxito del producto o el servicio. Sin embargo, miremos la lista de los nominados al Oscar, por ejemplo, la de 2010.

Lo más interesante de la lista no son las nominaciones a la Mejor Película. Lo más interesante es a qué otras categorías nominaron a las aspirantes del Oscar a la Mejor Película. Por ejemplo, *Cisne negro*, nominada a Mejor Película, también tuvo las nominaciones a Mejor Director, Mejor Actriz Principal, Mejor Fotografía y Mejor Montaje. *El luchador* fue nominada también a Mejor Guión Original, Mejor Director, Mejor Montaje, Mejor Actor de Reparto y tuvo dos nominaciones a Mejor Actriz de Reparto. *Origen* también fue nominada a Mejor Guión Original, Mejor Dirección Artística, Mejor Fotografía, Mejor Banda Sonora, Mejor Edición de Sonido, Mejor Sonido y Mejores Efectos Especiales. *El discurso del rey* obtuvo un total de once galardones. *True Grit* tuvo nueve nominaciones. *La red social*, siete.

Y tal vez algo más significativo: ¿cuántos largometrajes nominados a Mejor Película no estaban nominados a ninguna otra categoría? Ninguno. De hecho, para ser nominado a Mejor Película, un largometraje tiene que ser el mejor en, al menos, tres categorías.

En otras palabras, una película solo se considera magnífica cuando el resto de las categorías son, independiente y conjuntamente, magníficas. Nunca por el talento de una sola persona o equipo. Ni siquiera es en gran parte el talento de una sola persona o equipo, ya se trate de Mark Wahlberg, Natalie Portman o los hermanos Coen.

En total, las diez mejores películas también fueron nominadas a cinco galardones a la Mejor Dirección, nueve al Mejor Guión, quince al Mejor Actor o Actriz, y a veintiún otros galardones. Los llamo los galardones secundarios, como el montaje, la mezcla de sonido, la fotografía y la dirección artística. No es muy probable que un largometraje sea nominado a Mejor Película —y todavía es más improbable que gane— si no es gracias a la labor excelente que hacen los equipos y las personas que rara vez vemos y que casi nadie valora. Seguramente, la mayoría de los espectadores no sabemos ni lo que hacen.

Normalmente, es un error resaltar a un individuo, un cargo o un equipo como responsable del éxito de una empresa que se sustenta gracias al trabajo de un grupo. Aquellos con los que hablé en Sundance tal vez tuvieran razón porque no les reconocían su mérito suficientemente. Pero también estaban equivocados al pensar que solo ellos se lo merecían.

Los mejores productores —podríamos decir, los directores generales de las películas— comprenden esto. Charlé con un productor exitoso y me dijo que el mundo del cine pone bajo los focos al director porque, desde el punto de vista de las relaciones públicas, es práctico tener a una persona concreta. Como la marca de una empresa. Pero también me comentó que poner todo el foco de atención en solo un gran director o actor no es la manera de hacer una gran película. ¿Habéis visto *The Tourist*? Ni siquiera Johnny Depp ni Angelina Jolie pueden salvar una película pésima.

Los mejores líderes saben que el mérito por cualquier logro debe repartirse ampliamente, y no lo dicen solo de boquilla, sino que saben que es verdad. Y lo transmiten con su propia humildad. La humildad no es solo una actitud: es un don. Las personas más efectivas tienen mucha confianza en sí mismas (saben que añaden un valor significativo) y son además manifiestamente humildes (reconocen el gran valor añadido que aportan los demás).

Al final de nuestro paseo por Park City, le pregunté a mi amiga Allison si no era ella la persona más importante de la película porque, al fin y al cabo, tenía que escoger a todos aquellos que iban a hacer posible su éxito.

«Oh, claro, soy importante», me dijo sonriendo, y añadió: «Al menos, soy tan importante como todos los demás.»

Casi siempre es un error resaltar a un individuo, un cargo o un equipo específico como responsable del éxito de una empresa en la que contribuye un grupo mucho mayor de personas. Asegúrate de que cada persona involucrada se vea como parte del éxito.

· · · ·

41 El chef que no lo entendía

Responsabilízate del trabajo de tus compañeros

Me acerqué a la barra y pedí un *bagel* con salmón ahumado y queso Philadelphia. Pedí que lo cortaran para que hubiera «salmón en ambas rebanadas para poder compartirlo con un amigo».

«De acuerdo», me dijo Andrea, la camarera. Pulsó algunos botones de la pantalla del ordenador para comunicar electrónicamente el pedido a la cocina y me dio un tique con un número para que el camarero que servía pudiera identificar nuestra mesa.

Unos diez minutos después, David, el camarero, nos trajo el *bagel*. Estaba abierto, pero todo el salmón estaba solo en una rebanada. La otra estaba untada de queso.

Bueno, tampoco se iba a acabar el mundo. Pero el restaurante estaba casi vacío, y a mí me picó la curiosidad. «Gracias», le dije, «pero he pedido que me pongan salmón en las dos rebanadas.»

David se disculpó y lo llevó de nuevo a la cocina. Un minuto después, volvió. Esta vez, el salmón estaba solo en la mitad de cada rebanada.

La otra mitad era queso. Como si fuera un símbolo yin-yang de salmón y queso.

Lo interesante fue lo que me comentó David. «Ya sé que no es esto lo que querías», dijo sonriendo y un poco avergonzado. «Obviamente, el chef no lo ha entendido.»

De nuevo, el mundo iba a seguir dando vueltas. Le di las gracias y tomé el *bagel*. Pero me empezaron a asaltar preguntas: *Si ya lo sabes, ¿por qué no se lo has dicho al chef? Cuando te ha dado el* bagel *y has visto que no es lo que yo quería, ¿por qué no se lo has explicado? ¿O por qué no lo has hecho tú mismo? Y, por último, ya que has decidido servírmelo de todas formas, ¿por qué le echas la culpa al chef?*

Hay una respuesta para todas estas preguntas: los departamentos estancos.

El trabajo de Andrea era escucharme y transmitir el pedido. El trabajo del chef era hacer el *bagel*. Y, el de David, traérmelo. De hecho, este último había hecho su trabajo a la perfección. El problema estribaba en que no era el *bagel* que yo había pedido.

Obviamente, no es un problema particular de los restaurantes. Es un problema al que nos enfrentamos cada día.

Y es este: nuestros trabajos son complejos e interdependientes, pero nuestras metas, objetivos y, lo más importante, nuestra estructura mental suelen dividirse en departamentos estancos.

Todos tenemos una tarea que hacer —vender un servicio, diseñar un producto, resolver problemas de los clientes— y nuestra mentalidad es: si yo hago bien mi trabajo y tú haces bien el tuyo, lograremos nuestros objetivos.

Pero pocas veces funciona así. Las personas de un departamento tienen información que necesita —pero que nunca le da— otro departamento. Y, como muestra mi experiencia en el restaurante, si hay un percance en cualquier lugar de la cadena, fracasan todos. ¿Quién es el responsable de mi *bagel*? ¿Andrea? ¿El chef? ¿David? Analizarlo es una pérdida de tiempo, además de ser perjudicial. La verdad es que todos son colectivamente responsables.

En otras palabras —y esto puede ser difícil de aceptar—, cada uno es responsable del trabajo de los demás. Ser responsable del trabajo de los otros no significa averiguar quién tiene la culpa, sino que es la realidad práctica de la colaboración.

Después del desayuno, le pregunté a David («porque estoy escribiendo un artículo») que charláramos unos minutos para saber más de su toma de decisiones.

«La verdad», me dijo, «trabajo con el chef todos los días y no quería presionarlo ni que se enfadara.»

En otras palabras, decirle al chef que no había hecho bien el *bagel* —que había cometido un error— ponía en peligro su relación. No era un riesgo que David quisiera asumir.

«Tomé la decisión en un instante», continuó. «¿Merece la pena enfrentarme al chef o vosotros ibais a aceptar el *bagel*, aunque estuviera mal preparado? Parecíais amables, así que he preferido no enfrentarme al chef.»

David decidió que era mejor que el error fuera asumido por el cliente que enfrentarse a su compañero o a su superior. Sería fácil juzgarlo por esta decisión si los demás no tomáramos decisiones parecidas tan a menudo. Así que ¿cómo nos libramos de esta mentalidad de departamentos estancos?

Con valor.

Superar la tendencia destructiva de trabajar en departamentos estancos requiere el valor de una sola persona que quiera asumir riesgos. Se necesita una gran fuerza personal para identificar y corregir un error en el departamento de «otra persona» y superar el miedo a las consecuencias de hacerse responsable del trabajo de otra persona.

Cuando hablé con David, estuvo de acuerdo en que habría sido mejor decirle algo al chef. Mejor para mí, mejor para el restaurante, mejor para el chef e, incluso, con el tiempo, mejor para su relación con el chef.

«Bueno, entonces, ¿lo harás?», pregunté.

David —un buen tipo, alguien con el suficiente valor como para compartir su toma de decisiones conmigo— miró hacia la cocina un segundo, luego de nuevo a mí y, con una sonrisa, se encogió de hombros.

> Resiste la tentación de considerar tu trabajo como algo separado del de los demás, es decir, como un departamento estanco. Desde el punto de vista de un líder, un accionista o un cliente, no hay departamentos. Asume la responsabilidad por el trabajo de tus compañeros y comprométete con la excelencia no de una parte, sino del conjunto.

● ● ● ●

42 Tengo demasiadas cosas por hacer

Ofrécete a hacer el trabajo de los demás

Sé cómo gestionar el estrés. Sé que cada día debo dormir siete u ocho horas y hacer más o menos una hora de ejercicio. Sé que tengo que meditar un rato y alimentarme moderadamente con una dieta equilibrada. Sé que debo respirar hondo, para calmarme, varias veces al día. Sé todo esto y, en gran parte (si paso por alto el segundo cuenco de pepitas de chocolate con crema de cacahuete y Rice Krispies que acabo de devorar), lo cumplo.

Pero, a pesar de saber —y hacer— lo que tengo que hacer para gestionar efectivamente el estrés, me siento estresado. Casi abrumado.

Los asuntos de trabajo que me estresan esta semana superan las exigencias normales de la vida: educar a tres hijos, cada uno de ellos con sus virtudes y defectos, dedicar tiempo a una mujer maravillosa que también se estresa y dirigir mi propio negocio. Todos estos son buenos factores de estrés. Estoy sano, mi familia está sana, mi negocio está sano y nuestra economía está sana.

Pero no hay diferencia entre el estrés bueno y el malo. Aparece, sin que lo invitemos, siempre que estamos en una situación cuyo resultado está fuera de nuestro control. Y eso nos preocupa. Así que nos quejamos, chismorreamos, soltamos sarcasmos. Rápidamente, contagiamos el estrés a los demás. Y luego ellos también se quejan, chismorrean, sueltan sarcasmos. Muy pronto, estamos en una competición para ver quién está más estresado, quién tiene más trabajo y quién tiene al jefe más desagradecido y demente. Por supuesto, esto solo contribuye a que estemos más agobiados. ¿Cuál es la mejor manera de lidiar con la sensación de estar abrumado mientras soportas a un compañero que se queja, chismorrea y suelta sarcasmos? ¿Cómo debemos reaccionar para no convertirnos en alguien como él?

Ofrécete a hacer parte de su trabajo.

Sé que parece una locura porque uno mismo ya está muy ocupado, tal vez incluso más ocupado que los demás. Incluso si tuvieras el tiempo y la energía para ayudarlos, quizá te faltaría la generosidad, porque oírlos quejarse tanto es molesto. Además, si compites para ver quién está más ocupado, ¿qué pensarán cuando te ofrezcas a hacer su trabajo? No hay duda de que habrás perdido la batalla.

Pero ganarás la guerra del estrés.

Nos quejamos porque cuando estamos estresados nos sentimos solos y alienados. De modo que chismorreamos para sentir camaradería con los compañeros que chismorrean. Soltamos sarcasmos sobre el jefe para posicionarnos con los demás. Pero quejarse y chismorrear es como la mezcla de chocolate, crema de cacahuete y Rice Krispies: nos hace sentir bien cuando lo hacemos, pero nos sentimos peor inmediatamente después.

Quejarse fomenta la desconfianza entre los compañeros, llena de negatividad la oficina, nos hace perder el tiempo y acentúa nuestra sensación de aislamiento. Si nos ofrecemos para hacer alguna tarea de otra persona, en cambio, logramos lo contrario: fomenta una relación más estrecha que, al fin y al cabo, es lo que estamos buscando.

Si alguien se encontrara en serios problemas —piensa en la gente que sufrió el tsunami de Japón—, no dudaríamos en ayudar. Esta táctica es la misma ayuda humana y generosa, pero a una escala mucho menor. Un ofrecimiento inesperado de este tipo cambiará la dinámica de inmediato. ¿Quién seguirá quejándose cuando le ofrezcan compartir la carga? Reforzarás la confianza, crearás una atmósfera de trabajo positiva y avanzarás en el trabajo.

También te ayudará a cumplir con tus tareas. Un acto de este tipo, generoso, te hace sentir mejor, reduce el estrés y mejora tu productividad. Al actuar como si tuvieras la capacidad de ayudar a alguien, de hecho adquieres esta capacidad.

Así que ¿cómo hacerlo?

Escucha sin interrumpir ni competir. Empatiza con los problemas de los demás. Resiste la tentación de meter cizaña, contribuir con chismes o decir cuánto trabajo tienes y lo mucho que te cuesta. Limítate a escuchar.

Valora el reto al que se enfrentan. Con una o dos frases breves, hazles saber que comprendes que están en una situación difícil y estresante. No seas paternalista, no añadas leña al fuego. Puede ser difícil si tú también estás en una situación parecida, pero no es necesario estar de acuerdo con lo que dice. Solo tienen que sentir que los estás escuchando.

Ofrécete a ayudarlos de manera específica. Tal vez tengan pendiente una conversación delicada con alguien y tú puedas intervenir a su favor. Quizá los puedes ayudar de una manera personal, como comprarles el almuerzo cuando compres el tuyo y así ahorrarles el viaje. No temas que esto se pueda convertir en una rutina. Está claro que pueden acabar dándolo por descontado, pero lo más probable es que lo aprecien mucho, dejen de quejarse tanto y renovéis energías. La próxima vez, ellos lo harán por ti, porque es así como funcionan los equipos productivos.

La otra noche, caí en la trampa de contarle a Eleanor lo muy ocupado y estresado que estaba, aunque sabía que a ella le ocurría lo mismo. No trató de compararse conmigo. Me escuchó, me dijo que comprendía lo agobiado que estaba y luego, aunque a la mañana siguiente yo debía ocuparme de los niños, se ofreció para levantarse a las seis y dejarme dormir un poco más. Cambió mi dinámica por completo. Dejé de quejarme y me di cuenta de lo afortunado que era. Al día siguiente, por la tarde, puesto que ella necesitaba tiempo para trabajar, me ofrecí para hacer alguna de sus tareas, lo cual me hizo sentir mejor que haber podido dormir más.

Aunque ahora tal vez pienses: *Es tu mujer, está claro que debería ayudarte. Sois una pareja. La forma de gestionar el trabajo en la oficina es diferente.* Pero ¿tiene que serlo? ¿Por qué no podemos dar pequeños pasos para compartir la carga de trabajo individual con el objetivo del bienestar del equipo?

Sigo estando superocupado. Sigo teniendo un montón de preocupaciones en mente. No ha habido ningún cambio material. Pero ha habido un cambio general. Porque, a pesar de que soy individualmente responsable de mis obligaciones, de alguna forma, ya no me siento tan solo.

> Cuando estamos estresados porque tenemos mucho trabajo, reaccionamos quejándonos cuanto más mejor. Pero, aunque nos haga sentir bien en un primer momento, la queja genera una espiral de negatividad en nuestros puestos de trabajo. En lugar de quejarte, dale la vuelta: ofrécete a hacer alguna tarea de otra persona. Este acto de generosidad te hará sentir mejor, reducirá tu estrés y aumentará la productividad.

● ● ● ●

43 El día en que los centros de distribución estaban llenos

Céntrate en el resultado, no en el proceso

Durante las semanas y meses que siguieron al huracán Sandy, la tormenta que devastó parte de la ciudad, se podría haber descrito Nueva York como dos ciudades: la de las personas que se habían visto drásticamente afectadas por el huracán, y las de aquellas para las que solo supuso una mera inconveniencia.

Yo fui afortunado: vivo en el Upper West Side de Manhattan, que apenas sufrió consecuencias. El colegio de nuestros hijos estuvo cerrado varios días, pero no nos quedamos sin electricidad y nuestro apartamento quedó intacto. También llenamos el depósito del coche la noche de la tormenta, por si acaso.

Así que, cuando recibimos varios correos solicitando artículos de primera necesidad para aquellos que habían salido más perjudicados, estábamos preparados para ayudar.

Cuando llegué al Centro Comunitario Judío de Manhattan, se amontonaban en el vestíbulo ropa, comida, juguetes, artículos de aseo, mantas, linternas y otros productos, todo metido en grandes bolsas negras de basura. Había personas que distribuían todo aquello, otros que lo cargaban en coches y un responsable que designaba centros de distribución en las zonas más afectadas. Ya habían enviado un centenar de coches repletos de artículos y, antes de acabar el día, lograron mandar un centenar más.

Isabelle y Sophia vinieron conmigo para participar en las tareas de distribución. A los voluntarios les llevó unos sesenta segundos llenar nuestro monovolumen y nos dirigimos hacia Staten Island.

Justo después, me llamó un amigo diciéndome que no fuera a Staten Island. Los centros de distribución estaban llenos, me dijo. Ve a Far Rockaway, añadió. Varias horas de embotellamiento después, cuando llegamos a Far Rockaway el centro de distribución estaba a reventar. Así que fuimos a una iglesia que, según nos dijeron, se utilizaba como centro de distribución. De nuevo, no pudimos descargar, porque tenían más suministros de los que podían gestionar. Encontramos otro gran centro de distribución, pero nos ocurrió lo mismo.

Recorrimos Far Rockaway buscando centros de distribución. Nunca había visto una devastación semejante. Bloques de pisos enteros habían sido arrasados por el fuego. Solo quedaban en pie las escalinatas de la entrada, que llevaban a un montón de ruinas. Arena y escombros —entre ellos, embarcaciones—, que habían dejado las aguas al retirarse, ocupaban las calles. Y había infinidad de montículos de desechos de madera, muebles y juguetes, incluso paredes, amontonados en la acera para que los servicios de limpieza del ayuntamiento los recogieran.

Sencillamente, no me podía creer que la gente de esos barrios tuviera todos los suministros que necesitaban. Y, aun así, ahí estábamos en un coche lleno de productos que no aceptaba ningún centro de distribución. Entonces me di cuenta del problema: todos estos esfuerzos de coordinación eran extremadamente valiosos, pero hasta cierto punto. Nuestro coche estaba en el lugar adecuado con los productos adecuados. Pero ¿qué ocurría entonces? La coordinación se había convertido en un problema. No puedo explicar bien la envergadura de este cambio mental, pero cuando me di cuenta dejé de ser un empleado para convertirme en un emprendedor. Dejé de hacer lo que me ordenaban para hacer lo que veía que era necesario.

A menudo, un sistema nos coloca —o nos colocamos— en un papel subalterno. Esperamos que un dirigente o la burocracia nos diga qué hacer en lugar de pensar nosotros mismos qué es necesario. Muchas personas somos instintivamente muy eficientes y nos sumamos a un proceso sin pararnos a pensar si ese proceso realmente ayuda a lograr los objetivos. A veces, en un intento de ser productivos, perdemos productividad.

Al tratar de ser útiles, tuve que modificar el proceso porque el que había no estaba dando resultados. Aprendí que a veces tenemos que subvertir el deseo de ser productivos y seguir un proceso, para centrarnos en el resultado y hacer lo necesario para lograrlo.

Lo que también descubrí es que cuando uno sigue su iniciativa emprendedora suele recibir regalos inesperados. Bajando por una de las calles, vimos a un grupo de gente recogiendo los escombros de sus casas. Allí es donde conocimos a Mike y Kelly. Su sótano recién reformado tenía agua hasta el techo, como una piscina, de forma que sus dos coches habían quedado totalmente sumergidos y, después de que su hijo padeciera tres ataques de asma debido al polvo, lo enviaron a casa de su abuela en Westchester.

Sí, nos dijeron, los suministros que lleváis nos pueden ser muy útiles. Así que descargamos juntos la furgoneta y lo colocamos todo en el porche, desde donde podrían distribuirlo a los demás vecinos.

Mike y Kelly nos contaron cómo fue la noche del huracán Sandy, y el estruendo que produjo el agua cuando reventó la pared del sótano. Kelly le explicó a mis hijas varias cosas sobre el océano y la bahía, y cómo el agua llegó por ambos lados y lo inundó todo. Nos comentó que los vecinos compartían la comida y que todos se ayudaban para remediar aquel desastre. Y les dio a mis hijas un montón de caramelos que les habían sobrado de Halloween, muchos más de lo que yo hubiera consentido.

Mientras oía a Mike y Kelly explicarnos toda aquella catástrofe y cómo habían tenido que armarse de valor, me pareció cada vez mejor que la organización hubiera tenido sus fallas. Sin coordinación, nunca habría llegado a Far Rockaway con la furgoneta llena de suministros. Si todo hubiera ido a la perfección, mis hijas y yo se lo habríamos entregado a un burócrata sin nombre y no habríamos conocido a Mike, Kelly ni su historia. Y a ellos dos les habría ocurrido lo mismo.

Nueva York no son dos ciudades: son ocho millones de ciudades. El huracán nos afectó a todos de una forma particular. Y llegar a aquellos barrios sumidos en la oscuridad, con las calles llenas de escombros y las casas inundadas, para oír las historias que habían vivido fue un paso esencial e inspirador para poder recuperarnos.

Sin duda, la comida y las mantas son necesarias para la supervivencia. Pero también lo son las conversaciones, las relaciones personales y el sentido de comunidad que proviene de la gente real que comparte sus experiencias. Son cosas que estamos perdiendo porque nos distanciamos por culpa de las grandes organizaciones y los modos de comunicación eficientes, porque la vida digital acaba abrumando nuestro yo interior. No podemos permitirnos perderlas: al fin y al cabo, las organizaciones están formadas por personas. Pero cuanto más actuamos como empleados, trabajando de la forma más eficiente posible, más nos alejamos de nuestra condición humana.

Compartir suministros e historias con los vecinos es altamente ineficiente. Tal vez, Mike y Kelly acabaron con cosas en el porche que no pudieron usar ni compartir. Tal vez no fueran ellos quienes más lo necesitaban.

Pero nuestra excursión a Far Rockaway me ayudó a ver la utilidad de la ineficiencia. ¿Es mejor que las personas acudan a casa de un vecino para tomar lo que necesitan o que tengan que inscribirse en un centro de distribución? Al principio, casi me avergüenza admitirlo, pensé: *¿Y si se lo quedan todo?* Esta es justamente la desconfianza que ha creado la burocracia impersonal, y que tal vez esté provocada por ella misma.

La verdad es que podrían habérselo quedado todo.

Pero lo dudo. Mike y Kelly eran buenas personas, lo tuve claro solo con ver cómo trataban a mis hijas. Al llegar a su casa, Kelly nos ofreció agua embotellada, de las pocas reservas que tenía. Tomarían lo que necesitaran y compartirían todo lo que pudieran.

De vuelta a casa, nos sentimos muy bien. No solo por haber ayudado a un vecino que lo necesitaba. Y no solo porque pusimos en práctica nuestra iniciativa emprendedora, algo de lo que nos enorgullecíamos, sino porque conocimos a Mike y Kelly, y conectamos con ellos.

Es decir, el lado positivo de la ineficiencia.

> Supera el impulso de ser disciplinado y acatar procesos predeterminados, sobre todo si te parece que no funcionan. En lugar de ello, céntrate en el resultado y en lo que necesitas hacer para lograrlo.

• • • •

44 No apuestes que ganarás la lotería

Céntrate en lo importante para la empresa

Mi amigo Dave me comentó que acababa de recibir los resultados de una prueba médica y que estaba sorprendido y decepcionado con los datos. Tenía el colesterol alto. Especialmente, me dijo, contando con lo que comía.

«Dave», respondí, «estás de broma. Comes porquerías. Todo frito y, si no, galletas de chocolate. No recuerdo haberte visto jamás comiendo verdura. ¿Cómo esperas que tu colesterol no esté por las nubes?»

«Pero el otro día, justo antes de la prueba», repuso, «comí realmente bien.»

La idea de obtener resultados inmediatos es atractiva. Es la tentación de la lotería. ¿Quién no ha jugado al menos una vez, imaginando cuántos problemas podría resolver en solo un instante? ¿Se puede culpar a Dave por esperar que su metabolismo cambiaría porque un día había comido de forma saludable?

Pero los resultados inmediatos casi siempre son una quimera. Y esperarlos es destructivo, porque nos impide dar los pasos significativos y exigentes que, de hecho, nos llevarán a los resultados que buscamos. Claro, siempre hay alguien que gana la lotería. Pero, estadísticamente, tus opciones son casi nulas.

Recordé esto cuando respondí a un periodista sobre qué consejo le daría a alguien que quiere pedir un aumento en una época en que los salarios están congelados o caen. ¿Qué le respondí? Que no lo pida.

No es que piense que no se pueden conseguir aumentos de inmediato, pero si no te has pasado al menos un año haciendo un arduo trabajo de base, es muy improbable que te lo concedan. No existe fórmula alguna —no hay palabras ni actitudes mágicas— que logren un aumento en uno o dos días. Y, cuando pedimos un aumento sin haber preparado las bases, nos perjudicamos a nosotros mismos y a nuestra reputación: luego nos costará mucho más que nos aumenten el sueldo, incluso cuando lo merezcamos.

Pero sí que existe una fórmula para ganar más dinero y mejorar tu carrera a largo plazo. Y, si empiezas ahora, tal vez estés en posición de conseguir un aumento el año que viene.

La fórmula se basa en una premisa simple: nuestra carrera progresará cuando demostremos que añadimos más valor. Y podemos añadir más valor cuando dediquemos la mayor parte de nuestro tiempo al trabajo que la mayoría de los altos ejecutivos de la empresa —o de la junta— consideran más valioso. Es decir, casi siempre un trabajo que aumenta los ingresos o los beneficios, ya sea a corto o largo plazo.

Pero ¿acaso no estamos esforzándonos ya para conseguirlo? Me parece que los dados están trucados en nuestra contra. Todos tenemos un montón de trabajo, demasiadas tareas por hacer. Respondemos a demasiados correos que no son importantes. Damos opiniones innecesarias. Dedicamos tiempo a asuntos que no tienen efectos perceptibles. Hacemos más trabajo burocrático que realmente efectivo. No hay duda de que estamos más ocupados que antes, pero a menudo no logramos hacer aquello realmente importante.

Siempre hay cuestiones más importantes que otras. El problema es que muchas veces no lo tenemos claro, así que ocurren dos cosas: o dedicamos los mismos esfuerzos y energías a todo, o nos pasan desapercibidas las cuestiones equivocadas.

Minimizar las bagatelas es lo que necesitamos. He aquí mi fórmula:

1. Cuando este año tengas que negociar tu remuneración, acepta lo que te den sin negociar. Si es pertinente, expresa que ha sido un año difícil y que valoras lo que te ofrecen. Explica que te interesa menos un aumento que añadir un valor significativo a la empresa: es de esto de lo que quieres hablar.

2. Piensa como un accionista. Pregunta sobre la estrategia, qué es lo que no deja dormir a los altos ejecutivos, en qué medida tu departamento logra ingresos o beneficios, y qué es importante para tu jefe directo. Identifica con él las dos o tres cuestiones principales en las que puedes trabajar para aumentar ingresos o beneficios. Después de esta conversación, hablar de tu aumento tendrá un sentido.

3. Ahora haz que esas dos o tres cosas estén en lo alto de tu lista de prioridades. Asegúrate de que la mayor parte de tus esfuerzos hacen que la empresa avance en estos aspectos. Comparte la lista con tu director para que los dos coincidáis en lo que es más importante para la empresa. Haz todo lo que puedas para cuantificar el impacto que está produciendo. Si tu director te pide que hagas otras tareas, recuérdale cuáles son vuestras prioridades y ponderadlo. Sin duda, tendrás que trabajar en algunas cosas que no son importantes, pero no te extralimites: a fin de cuentas, no son importantes.

No cometas el error de pedir un aumento sin antes saber qué es lo importante para la empresa y dedicarte a ello. En lugar de esto, después de seis meses centrado en los aspectos más cruciales, podrás hablar con tu director para identificar el efecto de tu trabajo y demostrar que has añadido un valor significativo. En esta charla podrás hablar de un aumento real. Es el momento oportuno porque la mayoría de las empresas empiezan a planificar los presupuestos de los departamentos y los ascensos cada seis meses.

Lo importante de esta fórmula es que no es un truco, sino que se fundamenta en el interés de todos. Si te centras en las cuestiones que son más importantes —incluso si eso implica dar un paso atrás cuando tu director te pida que dediques tiempo a asuntos superficiales—, serás más productivo, tu director será más productivo y, en última instancia, la empresa será más productiva. Esto significa dinero en el banco. Hará que tu trabajo sea más valioso y que tengas más posibilidades de ascender.

«Bueno», le dije a Dave, «ahora que tienes el colesterol alto, ¿vas a cambiar de dieta?»

«No», repuso como siempre, «me estoy tomando unas pastillas. Me bajará el colesterol en unos días, y podré seguir comiendo todo lo que quiera.»

Tal vez me guste el camino difícil. Pero, por lo que sé, no existe pastilla alguna para obtener un ascenso. Aun así, en un tiempo en el que los salarios están estancados o cayendo, al menos es bueno saber que existe una fórmula.

> Es normal pensar que las evaluaciones de los empleados son el momento adecuado para pedir un aumento. Pero debes preparar esa conversación con un año de antelación, centrarte en las prioridades y lograr resultados. Tomar decisiones con más intención y de forma más estratégica con respecto a qué dedicas tu tiempo puede ser la diferencia entre una carrera estancada y otra en ascenso.

• • • •

45 Ron no para de hablar

No seas agradable: sé útil

Ron era analista de una empresa de inversiones —de primer nivel—, sabía mucho de la compañía de la que iba a disertar ante la junta directiva. Durante un minuto, ojeó las páginas llenas de números que tenía frente a él y empezó a presentar el caso.

Aunque se presentó a sí mismo como un hombre de números, parecía disfrutar realmente de esta parte de su trabajo. Era meticuloso exponiendo sus ideas y se enorgullecía de la profundidad de su análisis. Veinte minutos después, cuando acabó la reunión, James, el jefe de la empresa, le agradeció el trabajo que había hecho, y resaltó específicamente su exhaustiva investigación. Ron complacido sonrió y le dio las gracias.

Todos se marcharon menos James y yo. Le pregunté cómo había visto la reunión.

«Hombre», dijo, «¿cuál es la mejor forma de tratar a un analista que no para de hablar?»

«¿Quién?», pregunté. «¿Ron?»

«Es un gran analista, un inversor inteligente y un tipo de lo más agradable. Pero habla demasiado.»

«Pero ¡si le has dicho que ha hecho un trabajo excelente!»

«Sí, el análisis ha sido excelente, pero la presentación...», dijo con un chasquido.

«¿Se lo has dicho?»

«Se lo he comentado por encima, pero no específicamente.»

«¿Por qué no?»

«Debería hacerlo.»

No lo había hecho. Y la razón es sencilla: James es un buen tipo. Lo conozco y es una persona socialmente encantadora. Nunca le he visto hacer nada que pudiera interpretarse remotamente como mezquino o rudo. Y decirle a alguien que no para de hablar se percibe como algo mezquino y rudo.

Pero no lo es. Es compasivo.

Si no nos decimos lo que pensamos los unos a los otros, no seremos conscientes de nuestros puntos ciegos. Y Ron seguirá hablando y hablando sin comprender por qué lo que dice no llega a los demás y no tiene efecto.

Decir lo que pensamos a los demás es un acto de lealtad y confianza. Muestra que crees en su capacidad para cambiar, que crees que usarán la información para ser mejores y que tienes fe en su potencial. También es un signo de compromiso con el equipo y con los objetivos y metas generales de la empresa. En última instancia, todos somos responsables del éxito colectivo.

James lo sabe. Pero incluso para él —un director general competente y valiente— es difícil articular la crítica porque parece agresiva y polémica. ¿Deberíamos de verdad decirle a alguien que habla mucho? ¿O que viste mal? ¿O que parece hipócrita? ¿O que pisotea a los demás?

Sin duda alguna, deberíamos decirlo.

Y no solo si eres el director general. Todos deberían decir lo que piensan a los demás, sin importar qué cargo ejercen. Porque, si lo que dices está basado en el aprecio y el apoyo a la otra persona —y no en la caridad (que parece paternalista) ni en el poder (que puede humillar) ni en la ira (que es abusiva)—, hacer una crítica constructiva es un acto profundamente considerado.

Esto no significa que aceptar las críticas sea fácil. En el siguiente capítulo, te explicaré todos los problemas que yo he tenido para aceptar las críticas, y te daré algunos consejos para estar abierto y aprender de las críticas que hacen los demás.

Pero, aunque criticar o recibir críticas pueda ser difícil, hacerle saber a alguien lo que todo el mundo ya sabe es lo contrario de agresivo. Ser agresivo es no criticar a alguien abiertamente y luego hablar de ello cuando no está presente. Crueldad es verlos fracasar y no ayudarlos.

Irónicamente, cuando no compartimos las críticas, el problema suele rebrotar de todas formas, ya sea por el chismorreo, por un enfado, por comentarios sarcásticos o porque se culpa a las claras a aquella persona. Y eso sí que es agresivo: pasivo-agresivo.

Por un lado, para evitar este mal trago, es esencial no postergar la crítica. Por otro lado, si no paramos de criticarnos los unos a los otros, la situación se deteriora rápidamente. De modo que ¿cómo debemos abordarlo?

En primer lugar, *pide permiso*. Por ejemplo: «Me he dado cuenta de algo que me gustaría compartir contigo. ¿Quieres oírlo?» O, simplemente: «¿Puedo comentarte una cosa?» Cuando digan «Sí» (¿y quién no lo diría?), el camino está allanado, tienes más facilidades para hablar y la otra persona se prepara para oír lo que tienes que decirle.

En segundo lugar, *no seas evasivo*. Cuando nos incomoda hacer una crítica, tratamos de reducir el impacto reduciendo la crítica. A veces, la engalanamos con dos cumplidos. Pero ser evasivo diluye y confunde el mensaje. En lugar de esto, sé claro, conciso y utiliza un ejemplo simple. Enfatiza que es una cuestión de comportamiento, no de la persona en sí, y no tengas miedo de los silencios.

En tercer lugar, *hazlo a menudo*. Así es como se crea una cultura en la que las personas se abren y son sinceras para beneficio de todos. Si solo das tu opinión de vez en cuando, parece que esté fuera de lugar y que sea más negativa.

Por supuesto, no todas tus opiniones tienen que ser críticas. Una opinión positiva es excelente para reforzar la conducta productiva de alguien, para animarle a que aproveche sus puntos fuertes más a menudo y de forma más efectiva. Comparte frecuentemente tus impresiones positivas. Pero no lo hagas al mismo tiempo que cuando compartes la crítica.

«¿Puedo decirte lo que pienso?», le pregunté a James cuando acabamos nuestra conversación.

«Por favor», respondió.

«No decirle a Ron que habla demasiado es perjudicial para él, para ti y para la empresa. Sé que cuesta criticar a alguien, pero, en este caso en particular, no hacerlo es una actitud negativa. Le estás perjudicando porque no quieres sentirte incómodo. Necesita y se merece saberlo, ¿no crees?»

Silencio. Era un momento incómodo.

Un momento así es un catalizador magnífico para la acción. James lo pensó un instante y luego cogió la BlackBerry y le escribió un correo a Ron para que se reunieran más tarde ese mismo día.

> Aunque a menudo evitamos hacer críticas porque no queremos herir a otra persona, lo mejor y más útil que puedes hacer por otra persona es ser sincero y directo con ella. Formular una crítica con respeto ayuda a fomentar una relación más profunda con los demás.

• • • •

46 «De hecho, hay algo que...»

Acepta el regalo de la crítica

«Peter, hay algo de lo que te queremos hablar», me dijo Mark cuando estábamos cenando sentados en la hierba. Era el verano de 1990, y Mark, Rich y yo dirigíamos un curso de la National Outdoor Leadership School (NOLS). Teníamos a nuestro cargo a unos quince estudiantes, durante un mes en el Wind River Mountain Range de Wyoming. Los estudiantes estaban en sus tiendas de campaña, a punto de irse a dormir. Miré a Mark y luego a Rich. Ambos tenían la mirada clavada en el suelo.

«¿Qué he hecho?», bromeé. Rich se movió incómodamente y Mark continuó:

«De hecho, hay algo que...»

Sentí que mis músculos se tensaban y que la adrenalina corría por mis venas. Me dijeron que estaba hablando demasiado, que pasaba demasiado tiempo con los estudiantes. Pensaban que tenía que tomar más distancia, callarme más. Les hice algunas preguntas y comprendí mejor lo que querían decir, pero costaba aceptar sus respuestas mientras asaltaban mi mente todo tipo de pensamientos:

Pensaba que el curso había ido a las mil maravillas. ¿Lo que quieren es que sea como ellos? Pero ¡si ellos son fríos y distantes! ¡No es mi estilo! En cualquier caso, ¿se han quejado los estudiantes? ¡Se debería valorar que pasara tiempo con los estudiantes! Y ¿cuándo he hablado de más? ¿Tienen razón? Quizá no esté hecho para ser un profesor del NOLS. ¿Por qué se están aliando contra mí?

Después de esta conversación, el curso de ese verano fue decepcionante. Estaba cohibido, me sentía extraño, dudaba de cualquier interacción que tenía con los estudiantes o con mis compañeros. Aquel verano dejé que el punto de vista de Rich y Mark —por muy acertado que fuera— me subyugara.

Pero eso ocurrió hace veinte años. Ahora acepto las críticas con filosofía.

Sí, claro.

Como escritor que habla públicamente de sí mismo, soy vulnerable a las críticas que, a veces, pueden ser mordaces. Una vez escribí un artículo sobre cómo convencer a un director para que devolviera una compra después de haber pasado las dos semanas de devolución, y me hicieron muchas críticas. Dijeron que mi comportamiento no era ético, que era falso, un manipulador, un materialista, en fin, que era deplorable.

Esperad, quise decir, *no me conocéis. Yo no soy nada de todo eso.* Pero para muchas personas mi artículo comunicaba claramente que yo actuaba de esa forma. Y cuando me senté a escribir el siguiente artículo, estaba indeciso, inseguro, preocupado por cómo lo iban a recibir.

Cualquier crítica puede ser difícil de aceptar. Pero cuando no la esperamos —cuando parece salir de la nada, sobre algo que no hemos percibido—, es todavía más dura. Lo más probable es que nos la tomemos a la defensiva.

El reto de aceptar las críticas no es solo *aceptarlas*, sino *percibirlas*. Antes de poder aceptar algo, tenemos que ser conscientes de ello. Como la crítica que me hicieron en el curso de NOLS, las críticas a mi artículo me cerraron en banda. No tenía ni idea de que la gente fuera a reaccionar así, no era consciente de que estaba escribiendo algo polémico. Este tipo de críticas te exponen frente a ti mismo, y esta es la razón de que sean tan desconcertantes y de que su valor sea excepcional. También es la razón de que ponernos a la defensiva sea tan predecible y tan contraproducente. Precisamente porque es lo que más necesitamos escuchar, tratamos de no escucharlo de ninguna manera.

Para que las críticas por sorpresa sean productivas, necesitamos un plan. Cuando empieces a escuchar la crítica y sientas la adrenalina, cálmate, respira hondo y haz lo siguiente:

Deja tus sentimientos de lado. La llamamos crítica constructiva, y suele serlo. Pero también puede ser dolorosa, desconcertante y nos la podemos tomar personalmente. Percibe y sé consciente de los sentimientos de dolor, enfado, vergüenza, carencia o de cualquier cosa que surja. Reconócelos —incluso, etiquétalos— y luego déjalos de lado para que no interfieran en lo que estás escuchando.

No te quedes con la forma. Es difícil criticar, y puede que quien lo haga no esté dotado para ello. Aunque la expresen mal no quiere decir que no sea valiosa ni que no puedas aprender de ella. No todo lo que expresen lo harán poniéndose en tu lugar, centrándose en el comportamiento y mostrando empatía. Evita confundir la forma con el contenido.

No te muestres en acuerdo o en desacuerdo. Limítate a prestar atención a los datos. Si prescindes de la necesidad de responder, reducirás tus mecanismos defensivos y dejarás espacio para escuchar de verdad. Las críticas son información útil sobre cómo te percibe alguien. Asegúrate de comprenderlo bien. Esto significa hacer preguntas para profundizar en lo que te están diciendo. Sondea. Pide ejemplos. También puedes hacer de abogado del diablo y comprobar si los fundamentos de la crítica son sólidos, con la intención de comprenderla mejor. Si crees que esto puede parecer defensivo, entonces indaga en la crítica con una tercera persona. Después de que criticaran mi artículo, pregunté a varias personas —amigos íntimos que me conocen bien y son sinceros conmigo— si pensaban lo mismo que los que me criticaban.

Después, tomando distancia, decide qué hacer. Los datos rara vez provocan una acción, sino que solo suelen informar. Saber que la decisión y el poder de cambiar está en tus manos te ayudará a estar abierto al cambio. Cuando te hayas dado tiempo, espacio y te sientas más seguro, piensa en lo que has oído —lo que te dicen los datos— y decide si quieres cambiar, qué quieres cambiar y cómo quieres hacerlo.

A veces, decidirás cambiar tu comportamiento. He aprendido mucho leyendo comentarios a mis artículos y comentándolos con otras personas. Descubrí que lo que yo consideraba como una broma, para otros era ofensivo, que experimentar en mi propio beneficio es éticamente cuestionable, que el mensaje se puede perder si los ejemplos son polémicos, y que tengo que ser cuidadoso en no poner mis necesidades por encima de las de los demás.

Pero, a veces, decidirás no modificar tu comportamiento, y que es mejor seguir siendo el mismo y cambiar tu entorno. Después de aquel curso de NOLS, me encargué de muchos otros, pero nunca me pareció que pudiera cumplir las expectativas de mis compañeros: ser silencioso, autoritario, un excursionista ligeramente distante.

Al final, dejé NOLS y me uní al HayGroup, una empresa de asesoría en la zona de Nueva York. Recuerdo que la primera semana tuvimos una reunión telefónica con un cliente del que se ocupaba Andy Geller, uno de los jefes. Yo estaba muy callado. Después de unos veinte minutos, Andy pulsó el botón de silenciar y me dijo: «Peter, di algo. Lo que sea. Sé que puedes añadir valor a esta reunión y el cliente también tiene que saberlo».

Volvió el sonido, yo sonreí y pensé: *¿Hablar más? ¡Me encanta esto de la asesoría!*

> La próxima vez que te sientas bloqueado porque te critican, no reacciones a la defensiva. La crítica puede ser un regalo increíble si puedes calmarte, dejar de lado tus sentimientos y la forma en que la hacen, aceptar los datos y, luego, decidir qué hacer con ellos.

● ● ● ●

47 Llorar por un regalo

Crea un espacio de seguridad para ti y para los demás

«¡Por favor, papá, por favor! ¿Podemos abrir los regalos ya?»

Era la tercera noche de la fiesta de Janucá y Eleanor, nuestros tres hijos y yo habíamos vuelto a casa después de la fiesta.

«¿No habéis tenido ya suficientes regalos en la fiesta?», pregunté. Era una pregunta idiota.

«De acuerdo», convine. «Adelante.»

Desgarraron los envoltorios para abrir los regalos. Pequeños faroles de cuento de hadas. Cuando empezaron a jugar con ellos, una de mis hijas vio que su farol era diferente al de su hermana y empezó a lloriquear.

«La portezuela de mi farol no se abre. Y no tiene música.»

Qué desagradecida, pensé, y respiré hondo para no darle una mala respuesta. Me arrepentí de inmediato por dejarla quedarse despierta hasta tan tarde, comer tanto azúcar en la fiesta y abrir aquel último regalo. Cuando empezó a llorar de verdad, pasé del enfado a la razón. Le dije que ambos regalos eran bonitos y que debería sentirse feliz por recibir tantos regalos.

«Lo sé, papá, lo siento. Normalmente, me encantan los regalos. Pero esta vez... no lo sé. ¿Por qué no se abre mi portezuela?»

No estaba enfadada, sino triste, y esto me ablandó lo bastante como para oír la voz de Eleanor en mi cabeza: *Escucha lo que siente. Repite lo que oyes. Sé un espejo.* Pasé de la razón a la compasión.

«Lamento que no te haya gustado el regalo. Suelen hacerte sentir bien, pero esta vez no. Estás triste porque la portezuela no se abre y la de tu hermana sí.»

Siguió llorando. Pero, para mi sorpresa, la causa de por qué lloraba cambió de golpe.

«Les estaba enseñando a todos cómo hacer origami y todo iba bien, pero luego Tammy también empezó a enseñarles, y yo le cogí su origami. No sé por qué lo hice. No podía controlarlo. Perdí la cabeza, y luego los demás ya no querían que les enseñara nada. Ya no querían jugar conmigo.»

«¿Estás hablando de la fiesta, cariño?»

«Sí», respondió sollozando, «en la fiesta. No sé por qué lo hice. Y luego montaron una banda de música, pero no me dejaron entrar, pero yo tenía muchas ganas.»

Ahora era yo quien estaba llorando con ella. Quería tanto tener amigos, y lo intentaba con todas sus fuerzas, pero le costaba. Por eso lloró al recibir el regalo. Se había estado conteniendo toda la noche y ya no podía más.

Me solía preguntar por qué mi hija se desmoronaba al llegar a casa: ¿qué estábamos haciendo mal? Pero he llegado a la conclusión de que ella se desmoronaba por algo que, de hecho, hacíamos bien.

El mundo puede ser un lugar duro. No siempre podemos exponer nuestros sentimientos a los demás. El hogar —con Eleanor, conmigo— es un lugar seguro en el que puede sentir sin limitaciones. Desmoronarse, respirar hondo y recomponerse. Saber que sus sentimientos se reciben con amor, con comprensión, con aprobación.

Esta es una historia de mi hogar y de mi hija, pero también es una historia de nuestros lugares de trabajo y nuestros empleados, directores, colegas y clientes.

¿Amor, aprobación, comprensión en la oficina? ¿De verdad? ¿Qué tiene esto que ver con el rendimiento?

Todo.

Un grupo rinde mejor cuando sus componentes pueden confiar en los demás y depender de ellos. Entonces, traspasan los compartimentos estancos. Se responsabilizan de sus errores en lugar de culpar a los demás. Se ocupan de los problemas antes de que se conviertan en obstáculos importantes. Pero si las personas tienen que preocuparse por ocultar sus sentimientos, esa energía tendrá consecuencias negativas, y la falta de confianza saboteará los esfuerzos de unos y otros.

Si en lugar de ser comprensivo hubiera sido simplemente racional, mi hija se habría sentido peor. Nunca habría llegado a la causa de su tristeza y no habría podido ayudarla de verdad en lo que le importaba, es decir, cómo se llevaba con sus amigos.

¿Cómo se hace? De hecho, es muy sencillo. *Respira hondo y escucha sus sentimientos. Repite lo que oyes. Sé un espejo.*

Si es tan fácil, ¿por qué no lo hacemos siempre? Porque también hay una parte difícil: gestionar tu propio malestar. ¿Puedes aceptar los sentimientos de los demás? ¿Puedes escucharlos sin juzgarlos? ¿Puedes escucharlos incluso cuando te sientes amenazado?

Cuando llevé a mi hija a la cama, me pidió que me estirara con ella y que habláramos, y así lo hicimos. Se disculpó por su reacción al recibir el regalo, aunque, me dijo, aún prefería que su portezuela pudiera abrirse.

«Ya lo sé, cariño. Lamento que no se abra. Y también lamento que no lo pasaras bien en la fiesta.»

Giró la cara hacia la pared y cerró los ojos. Hubo un momento de silencio y pareció que iba a dormirse. Luego me cogió la mano y la abrazó en su pecho.

«Te quiero, papá.»

«Yo también te quiero, cielo.»

Y, al dormirnos, el último regalo que recibió esa noche —la aprobación— también fue un regalo para mí.

> La tendencia a ocultar los sentimientos suele ser contraproducente, porque tiene consecuencias negativas y mina nuestros esfuerzos. Crea un entorno seguro para ti y para los demás para que puedas rendir al máximo.

• • • •

48 No me pierdo nada

Deja de mirar el correo electrónico

No hace mucho, me tomé una semana de vacaciones con mi familia y sin tecnología: sin ordenador, sin teléfono, sin correo electrónico.

Después del viaje, cuando volví al despacho y miré el correo, tenía cientos de mensajes esperándome. Respiré hondo y empecé a mirarlos uno a uno. Tres horas después, la bandeja de entrada —con los mensajes de toda una semana— estaba vacía.

Compara esto con mi experiencia al día siguiente, y cada día después de aquel, cuando dedico más de tres horas cada *día* a mirar el correo.

Parte de ese tiempo lo dedico a una suerte de conversaciones por correo, pero igualmente la diferencia es espectacular.

He llegado a la conclusión de que uso el correo electrónico para distraerme. Siempre que me siento un poco incómodo, miro el correo. ¿Estancado en la escritura de un artículo? ¿Aburrido de una conversación telefónica? ¿En el ascensor, frustrado en una reunión, angustiado por una conversación? Pues miro el correo. Es una manera omnipresente y fácil de eludir mi sensación de incomodidad.

Lo que hace que el correo sea atractivo es que es atractivo. ¿Habrá llegado algún mensaje a la bandeja de entrada? Es emocionante, y también parece legítimo, responsable. Estoy *trabajando*. Tengo que asegurarme de que no me pierdo un mensaje importante o de que tardo más de lo conveniente en responder.

Pero se ha convertido en un problema serio. Si no controlamos este hábito con los correos, nos controlan ellos a nosotros. Todas las personas que conozco se quejan de la sobrecarga de correos. Siguen llegando a la bandeja de entrada, sin pausa. Y, como adictos, los miramos incesantemente, distrayéndonos en reuniones, conversaciones, tiempo personal o cualquier cosa que estemos haciendo.

El problema no es solo la abundancia de correos, es la ineficacia con que la gestionamos. Cada vez que miramos el correo, perdemos tiempo sacando el móvil, cargando la página, leyendo correos sin encargarnos de ellos, releyendo los que todavía no hemos respondido. Luego, de nuevo frente al ordenador, los volvemos a releer.

Esta ineficacia nos está abrumando. Según *USA Today*, el número de demandas por horas extraordinarias injustas ha aumentado un 32 por ciento desde 2008. ¿La razón principal de este aumento? Los correos en dispositivos como los teléfonos se están inmiscuyendo en nuestra vida personal.[12]

Creo que la solución se halla en lo que me ocurrió después de las vacaciones. En lugar de mirar el correo continuamente y desde diferentes dispositivos, lo mejor es fijarse un tiempo determinado cada día para mirarlos desde el ordenador. El resto del tiempo, son vacaciones del correo.

Somos más eficaces cuando miramos todos los correos a la vez en el ordenador. Somos más rápidos, podemos acceder a los archivos que necesitamos y a otros programas como la agenda. También, al dedicar un tiempo específico para los correos, nos ocupamos de ellos de verdad. Estamos más concentrados, más motivados y no perdemos tiempo al cambiar de una actividad a otra.

Dedico noventa minutos al día en tres tandas de treinta —una por la mañana, otra al mediodía y la última por la noche, antes de apagar el ordenador— a mirar los correos. Utilizo un temporizador y, cuando suena la alarma, cierro el programa de los correos. Fuera de este tiempo específico, no miro el correo desde ningún dispositivo. Y solo los miro por el móvil si estoy sin ordenador todo el día.

El correo es la aplicación perfecta de lo que llamo «acción-inacción». Cuando mires los correos, dedícate a ello completamente y no hagas nada más. Y cuando no sea el momento de mirarlos, no lo hagas. Cuando surja la tentación de mirarlos —y surge a menudo—, respira hondo y limítate a percibir lo que estás sintiendo. Y luego concéntrate en lo que estés haciendo, aunque solo estés esperando. Deja que tu mente se relaje.

No te perderás nada.

De hecho, es justo lo contrario. Estoy más presente durante todo el día. Me concentro en lo que tengo alrededor en aquel momento, sin distraerme. Escucho con más atención, noto las reacciones sutiles de los demás que de otra manera me pasarían desapercibidas y, mientras mi mente divaga, se me ocurren más ideas. Soy más productivo, más sensible, más creativo y más feliz.

También resuelvo los correos con mayor rapidez y prestándoles más atención. No cometo errores por ir con prisas, como copiar a la persona equivocada o enviar un correo antes de acabarlo o escribir algo hiriente. Soy mucho más eficiente.

Pero ¿y si alguien necesita una respuesta inmediata? Preocuparse por esto es precisamente el tipo de racionalización equivocada que refuerza la adicción. Nadie se ha enfadado desde que utilizo este nuevo proceso. De hecho, creo que nadie se ha dado cuenta de mis minivacaciones del correo porque responder a un correo en unas pocas horas es perfectamente razonable. Y, en el caso de que necesiten realmente una respuesta en pocos minutos, hallarán otra forma de contactar conmigo, ya sea enviándome un mensaje de texto o llamándome.

Los correos ya no son una carga abrumadora para mí. Les dedico una hora y media al día, lo cual me parece suficiente. Puede que tú necesites más o menos tiempo. Prueba y fija unas franjas horarias adecuadas.

Lo que más cuesta es resistirse a la tentación de mirar el correo cuando no debes. ¿Mi consejo? Cuando tengas la necesidad de mirar el correo, mírate a ti mismo. ¿Qué te está ocurriendo? ¿Qué sientes? Respira hondo y relájate en un momento de no distracción.

Por un momento, en medio de un día cargado de trabajo, te parecerá como si estuvieras de vacaciones.

> Para mejorar la productividad, mira el correo solo en algunos momentos determinados del día. Cuando sientas la tentación de mirar la bandeja de entrada, respira hondo y mírate a ti mismo.

• • • •

49 La regla del No-PowerPoint

Apuesta por las reuniones informales

«Fue terrible. No solo estaba aburrido yo. Todo el mundo estaba aburrido. Desconectado. Es un error que permita este tipo de reuniones. Pero son muy importantes. Tengo que mejorarlas. Tengo que encontrar una forma de hacerlo mejor.»

Escribí estas frases en una página de mi diario hace siete años. Todavía recuerdo la reunión que finalmente me hizo cambiar cómo organizo las reuniones. Había unas diez personas —el director general y sus ayudantes directos— y nos encontramos en un hotel durante dos días para que no nos distrajeran. El objetivo era debatir y acordar la estrategia para el próximo año.

Lo había preparado todo meticulosamente. Me reuní personalmente con cada una de las personas del equipo y recopilé sus ideas sobre la estrategia de la empresa y qué obstáculos podría haber que impidieran su correcta ejecución. Con lo que me dijeron, diseñé el programa de los dos días y le pedí a cada uno de ellos que prepararan una presentación PowerPoint para la estrategia de su área.

¿El resultado? Cada vez que se levantaba uno de ellos para presentar su estrategia, los demás hacían una de estas dos cosas: desconectarse o echar las estrategias por tierra.

La mayoría de las presentaciones provocan estas reacciones porque están pulidas, son meticulosas y están diseñadas para satisfacer al público, así como para dar la sensación de que el orador sabe de qué está hablando. La gente se desconecta porque no les exigen nada. O echan por tierra lo que oyen porque, si no desconectan, es lo más interesante que pueden hacer cuando alguien intenta demostrar que lo tiene todo controlado.

Así que durante los siete años siguientes, he estado experimentando con las reuniones. He propuesto actividades para reforzar el equipo, he estado presente en la sala durante toda la reunión, los he dejado solos, he enseñado técnicas básicas, cómo comunicarse y gestionar dinámicas de equipo, he dejado que el director general dirigiera la reunión, me lo he llevado fuera, y he probado con varias docenas de posibilidades más.

Con el tiempo, he identificado un factor que marca la mayor diferencia entre una gran reunión y otra pésima: el PowerPoint. Las mejores reuniones prescinden completamente de él.

Las presentaciones de PowerPoint acaban siendo, inevitablemente, monólogos. Se centran en las respuestas y todo el mundo mira una pantalla. Pero en una reunión debería haber conversaciones. Debería centrarse en preguntas, no en respuestas, y las personas deberían mirarse a los ojos. Sé que parece una locura, pero incluso he pensado que el zumbido del proyector sabotea el diálogo.

Las reuniones también adquieren un precio desorbitado si juntas a varias personas muy bien remuneradas en una misma sala al mismo tiempo. Estas personas se deberían aprovechar cuando necesitas profundizar en asuntos de importancia, no cuando se quieren poner al día los progresos de cada uno.

Prueba otra cosa. En lugar de preparar presentaciones de Power-Point claras y ponderadas (además de aburridas), haz reuniones informales con rotafolios para apuntar las cuestiones importantes, saca conclusiones y acuerda planes de acción con plazos y responsables determinados.

Al final de la reunión, deja un poco de tiempo para desarrollar planes de comunicación que difundan las decisiones. Siempre me sorprende cuántas inconsistencias y desacuerdos surgen cuando llega el momento de fijar con precisión qué se va a comunicar.

Hay, por supuesto, muchas otras cosas que ayudan a que una reunión sea fructífera. Pero la regla del No-PowerPoint tiene un efecto importante porque focaliza la energía donde debería estar: en resolver problemas juntos.

Siempre me pongo un poco nervioso cuando debo dirigir una reunión porque, si va bien, es impredecible. Aparecen ideas, propuestas y soluciones que nunca hubieran existido sin la colaboración de las personas que están en la sala. En cualquier momento también puede estallar una discusión. Pero lo que hace que las reuniones sean impredecibles también hace que sean emocionantes y valiosas.

La semana pasada me pasé dos días dirigiendo el plan de acción del director general y su equipo de una importante empresa tecnológica que está viviendo los problemas positivos, pero muy reales, que acompañan a un crecimiento rápido. Cada ejecutivo dio una charla, y cada charla terminó con un plan de acción consensuado con plazos y responsables determinados. Y consiguieron todo esto sin el zumbido de fondo de un proyector.

Al final de la reunión, después de una conversación de dos horas sobre cómo transmitir las decisiones al resto de la organización, el director financiero —un verdadero cínico cuando se trata de dedicar (¿malgastar?) tiempo en las reuniones— se volvió hacia mí y comentó con sinceridad: «Esta es una manera realmente útil de pasar un par de días».

¿Una frase así viniendo de él? Deberían publicarla en los periódicos.

Es demasiado fácil preparar presentaciones de Power-Point muy bien pensadas (y aburridas). En lugar de esto, trata de organizar debates informales. Las personas colaboran mejor cuando piensan juntas sobre los problemas que implican a varios departamentos.

50 Odian los guisantes, pero se los comen como si les encantaran

Cuenta historias para que los demás cambien

«Me gustaría hablarte de un gran proyecto», me dijo una mujer por teléfono.

Era una alta ejecutiva de una empresa de servicios profesionales en la que las personas son su mayor activo. Pero resulta que no estaban muy contentos. Tenían una empresa exitosa, con ingresos altos, buenos clientes y trabajadores implicados. Pero la satisfacción de los empleados era mínima y el índice de bajas era asombrosamente alto. Los empleados rendían bien, pero se iban de la empresa.

La empresa se había ganado la reputación de ser un lugar terrible en el que trabajar. Cuando me reuní con el jefe, me ilustró el problema con un ejemplo personal. Hace poco, comentó, se organizó una reunión el mismo día en que una de sus empleadas se casaba. «Le dije que tenía que venir. Que la reunión era lo bastante pronto como para que llegara a la boda a tiempo.»

Se quedó en silencio. Después continuó: «No estoy orgulloso de esa historia, pero es como siempre hemos dirigido la empresa». Luego me miró y preguntó: «Así que, Peter, ¿cómo cambias a los demás?»

He oído a menudo que no se puede cambiar a los demás, que lo único que puedes hacer es cambiarte a ti mismo. Pero para muchas personas la realidad es que constantemente tratamos de cambiar a los demás. Los padres quieren cambiar a los hijos, los maridos a las esposas y las esposas a los maridos, y en nuestro trabajo también estamos intentando cambiar a los demás una y otra vez.

Aun así, casi todas las veces fracasamos o, peor, alentamos el comportamiento que precisamente queremos cambiar. No fracasamos por intentarlo poco, ni porque la tarea sea imposible. El problema es que la manera en que queremos hacer que cambien es a menudo contraproducente.

Entonces, ¿qué hacemos que no funciona? Les decimos lo que tienen que hacer, a menudo enfadados o irritados. O los recompensamos con dinero o de otra manera. Enviamos correos electrónicos u otro tipo de mensajes resaltando qué es lo que queremos. Y a quien no rema en la misma dirección, lo castigamos. Ninguna de estas acciones parece funcionar fiablemente.

De modo que si no funcionan, ¿qué hacen?

A finales de la década de 1970, la investigadora de la Universidad de Illinois, Lipps Birch, dirigió una serie de experimentos en niños para ver qué les convencería para comer verduras que no les gustaban.[13] Esto es poner el listón alto. No se trataba de que comieran más verduras sino, específicamente, las verduras que no les gustaban.

Puedes decirles que esperas que se coman la verdura, y que si lo hacen les recompensarás con un helado. Les puedes enumerar todas las razones por las que las verduras son buenas para ellos. Y también puedes comerte las verduras para dar ejemplo. Todo esto puede ayudar. Pero Birch descubrió una cosa que funcionaba fiablemente. Sentó a un niño a quien no le gustaban los guisantes a una mesa con varios otros niños a quienes les encantaban. En la segunda comida, el niño que odiaba los guisantes los comía como los demás.

Presión social.

«Con historias.», le dije al director de la empresa.

«¿Perdona?», preguntó.

«Cambias a los demás con historias. Ahora mismo la historia que tienes es que exprimes a tus trabajadores. Como la mujer que obligaste a trabajar el día de su boda. Tal vez no estés orgulloso de ello, pero es la historia que cuentas. Esta historia expresa lo que esperas de los demás, simple y llanamente. Y estoy seguro de que no eres el único que la cuenta. Sin duda alguna también la estará contando la novia. Y todos sus amigos. Si quieres cambiar cómo se comporta una persona, tienes que cambiar las historias que oyen y las historias que cuentan.»

Le sugerí que no cambiara nada más, ni las evaluaciones de los empleados, ni los sistemas de incentivos ni cómo formaba a sus trabajadores. No cambies nada más. En todo caso, todavía no. Por el momento, cambia las historias. Durante un tiempo, habrá una incoherencia entre las nuevas historias y las viejas. Esto creará tensión. Esta tensión representa la transición del viejo comportamiento al nuevo. Si insistes, poco a poco, las nuevas historias arraigarán.

Solo necesitas hacer dos cosas sencillas para cambiar la conducta de los demás:

1. Lleva a cabo acciones notables, dignas de ser contadas, que representen el cambio que quieres que hagan. Luego deja que las vayan contando.

2. Encuentra a otras personas que lleven a cabo acciones dignas de ser contadas y que representen el cambio que quieres que los demás hagan. Luego cuenta tú esas historias.

Por ejemplo, si quieres que los miembros de tu equipo sean más rápidos y menos perfeccionistas, aborda un tema con celeridad y envía un correo electrónico con erratas. O si quieres que se comuniquen de manera más efectiva, deja de mirar mensajes en el ordenador en medio de una conversación. En lugar de esto, desentiéndete del ordenador cuando entren en tu despacho. O si lo que quieres es aumentar el bienestar en la oficina, en lugar de que una empleada tenga que trabajar el día de su boda, dale una semana de fiesta.

Nos nutrimos de historias. Las contamos, las repetimos, las escuchamos con atención y actuamos en sintonía con ellas.

Podemos cambiar nuestras historias y que ellas nos cambien a nosotros.

> A menudo, la forma en que queremos hacer cambiar a los demás no funciona y acaba alentando precisamente el comportamiento que queríamos evitar. Puesto que nos amoldamos al comportamiento de quienes nos rodean —y ese comportamiento se amolda a las historias que la gente escucha y cuenta—, promueve el cambio contando buenas historias.

• • • •

51 Cómo Jori perdió dieciséis kilos

Olvídate de la fuerza de voluntad. Reestructura tu entorno

«Quiero consultarte algo», le dije a mi amigo Jori, que había perdido dieciséis kilos en los últimos seis meses. «Nuestra capacidad para perder peso se basa en la voluntad que tenemos para sufrir la incomodidad, pasar un poco de hambre y resistir la tentación de comer.»

«Te equivocas», replicó. «No sabes cómo es mi apetito. Es doloroso. Podría soportarlo una o dos semanas, pero no a largo plazo.»

Supe de inmediato que tenía razón. La disciplina, la fuerza de voluntad y el autocontrol son insostenibles. Al final, cedemos. He intentado perder peso de muchas maneras. Solo me han funcionado dos: 1) Dejé de consumir azúcar refinado. Tiré todos los helados, caramelos, galletas y pastelitos que tenía en las estanterías y los sustituí por alternativas más sanas. 2) Contraté un servicio de comida a domicilio. Cada mañana, durante un mes, me traían todas las comidas del día en sus proporciones justas. La comida era deliciosa y satisfactoria, y solo comía lo que me daban, nada más.

En ambas situaciones, reduje la necesidad de la disciplina. Cambié mi entorno para que me fuera más fácil tomar las decisiones que cumplían mis intereses a largo plazo.

«Entonces, ¿cómo perdiste peso?», le pregunté.

Jori tenía una banda gástrica que físicamente le constreñía la entrada del estómago. Cuando come, se llena la parte alta del estómago y dosifica la comida al resto, de manera que se siente lleno antes y durante más tiempo.

En otras palabras, no perdió peso porque soportara la incomodidad de pasar hambre. Perdió peso al erradicar la incomodidad de pasar hambre. La cirugía a la que se prestó provocó que comer menos no fuera solo más probable, sino inevitable.

«¿Cuándo te sacarás la banda gástrica?», le inquirí.

«Nunca», replicó.

La banda gástrica se puede estrechar para que la entrada del estómago sea más pequeña o aflojar para que se pueda comer sin restricciones. Algunos pacientes deciden soltarla cuando quieren comer sin medida, como en vacaciones o Navidad.

Podrías pensar que después de años comiendo porciones pequeñas con una banda gástrica, la gente desarrolla nuevos hábitos alimenticios que pueden mantener cuando sueltan la banda. Pero no es verdad. Según el doctor de Jori, fácilmente pueden ganar ocho kilos en un mes.

En otras palabras, es genial adoptar nuevos hábitos, pero, si queremos persistir en ellos, debemos cambiar nuestro entorno y mantenerlo durante el tiempo que decidamos. Si no quieres ganar peso, no vuelvas a comprar alimentos azucarados, ni aflojes la banda gástrica, ni te plantees comer más de lo que has decidido.

Una de mis clientas, Lisa, tenía algunos problemas con uno de sus colaboradores, David, porque no se comunicaba con ella ni frecuente ni claramente. Creamos una lista de preguntas que Lisa y David se hacían cada día para mejorar su comunicación. Preguntas como «¿Tienes que informar de algo a alguien? ¿Debes dar las gracias a alguien? ¿Hay alguien a quien tengas que preguntarle algo?»

Después de tres semanas llevando a cabo el cuestionario, su comunicación mejoró ostensiblemente, así que Lisa dejó de hacer las preguntas. En pocos días, David volvió a caer en sus anteriores patrones comunicativos. El cuestionario no cambió a David; David se adaptó a él mientras lo pusieron en práctica.

Así que la pregunta es: ¿has estructurado tu entorno —tu vida— para que sea más probable que puedas lograr tus objetivos?

Para muchas personas, la respuesta es no. Empezamos el día con buenas intenciones. Pero pronto recibimos llamadas y correos electrónicos, pedimos cosas y ordenamos otras, y muy pronto apenas podemos recordar en qué queríamos concentrarnos, si es que lo supimos alguna vez. Nuestras jornadas son frenéticas e intentamos encarrilarnos, pero avanzamos muy poco. Al final de la semana, ya hemos olvidado qué queríamos lograr al principio de ella. Y, cuando acaba el año, nos frustra que no hayamos avanzado en las cuestiones que más nos preocupan.

La solución no es querer concentrarse mejor. Esto no funciona. La disciplina y el autocontrol son insostenibles porque en la mayoría de nuestros entornos hay demasiadas distracciones, demasiadas cosas que los demás quieren que hagamos, demasiadas oportunidades y tentaciones que nos apartan de los valores y prioridades que queremos en nuestra vida. Es como tratar de perder peso viviendo en una tienda de caramelos.

Tenemos que estructurar el entorno —como limitar el estómago o vaciar las estanterías de azúcar— para que sea más probable que podamos avanzar en nuestras prioridades.

A continuación, te propongo tres maneras de estructurar tu entorno:

1. Vacía las estanterías de azúcar.

Identifica cinco cosas —ni una más— en las que quieras centrarte durante un año. A ellas deberás dedicar el 95 por ciento de tu tiempo. Cualquier cosa que no facilite estos cinco objetivos debe quedar fuera de tu lista de tareas. Yo he creado una lista de tareas con seis recuadros: uno para cada una de mis prioridades y un sexto que he llamado «el otro 5 por ciento». Este último es como el azúcar: un poco está bien, pero en un día no deberías tener más del 5 por ciento de actividades que no se ajustan a tus prioridades anuales.

2. Limita tu estómago.

Cada mañana, mira la lista con los seis recuadros y decide todo lo que tienes que hacer en franjas horarias. De esta manera, tomarás decisiones estratégicas para aprovechar el tiempo limitado del día en lo que más te importa.

3. Establece un acuerdo formal con alguien sobre qué es lo que vas a comer.

Siéntate con una persona —tu director, un compañero, tu pareja— y enséñale tu lista de tareas con los seis recuadros y lo que vas a hacer aquel día. Explícales qué quieres conseguir y cómo encaja con tu plan para lograr tus objetivos anuales. Decirlo en voz alta y tener a una persona que lo escuche y te lo recuerde crea un nivel de compromiso y responsabilidad más profundo.

Porque, como el éxito de Jori para perder peso, concentrarte con éxito en lo que más te importa, solo tendrá lugar —a largo plazo— si creas un entorno que lo facilita.

> Confiar en la fuerza de voluntad es una batalla cuesta arriba interminable. En lugar de esto, estructura tu entorno y tu vida para que sea más probable que logres cumplir tus prioridades.

● ● ● ●

Conclusión

«¿Vuelves a ser vegano?», me preguntó Nicky riendo. «¿No lo habías sido ya?»

«¿Por qué no te limitas a comer normal, de todo un poco?», intervino Pam.

Todos en la mesa rieron, en parte de mí, en parte de Pam, que ya estaba acabando su segundo mojito y difícilmente podía ser un ejemplo de moderación. Estaba con mis amigos del instituto. Durante los últimos veinticinco años nos hemos reunido para cenar una vez al mes, así que no somos muy ceremoniosos.

La conversación no se alargó mucho porque en esas cenas ningún tema nos dura mucho. Pero me hizo pensar. ¿Soy un fracasado porque vuelvo a ser vegano? ¿Por qué no pude persistir la última vez? Y, si no pude, ¿por qué lo vuelvo a intentar?

Una forma de mirarlo es que un cambio de conducta es como dejar de fumar o de beber: a veces, se requieren varios intentos para mantener permanentemente el compromiso. Pero también se puede mirar de otra forma, y no es menos verdad: no todo se tiene que mantener permanentemente. Todo depende de lo que quieras lograr.

Una vez estaba dirigiendo un plan estratégico con el director general y la junta directiva de una empresa tecnológica cuyos ingresos superaban los 600 millones de dólares. Pasamos varios días rediseñando áreas de la empresa: creamos una nueva estructura organizativa, designamos nuevas personas para los puestos dirigentes y aclaramos las responsabilidades de cada uno. Se trataba de una empresa excelente con unos dirigentes capaces, una sólida estrategia de crecimiento y unos objetivos creíbles para convertirse en una empresa de miles de millones en pocos años.

Cuando estábamos revisando la nueva estructura organizativa que habíamos diseñado entre todos, uno de los colaboradores del director general intervino: «Esto no funcionará», opinó. «Cuando ingresemos novecientos millones de dólares será difícil de manejar.»

El director general reflexionó un momento y luego respondió: «No tiene que funcionar cuando lleguemos a novecientos millones. Tiene que funcionar ahora. La volveremos a cambiar, seguramente cuando ingresemos setecientos cincuenta millones».

Genial. En la mayoría de los casos, los cambios funcionan durante un tiempo determinado. Luego ya no. Es mejor pensar en soluciones temporales de aquello que quieres cambiar, en lugar de pensar en una solución permanente, porque te puedes estancar en ella.

¿Reingeniería de procesos? ¿Ejecutivo al minuto? ¿Gestión por objetivos? ¿Marketing de guerrilla? Es fácil descartar todas estas ideas, y muchas otras, como modas pasajeras. Un día están aquí y al otro desaparecen. Lo mejor es no dejar que te entretengan. Pero, en lugar de esto, piensa en que cada una de estas «modas» puede haber sido útil, tal vez en tu empresa, durante un periodo determinado de tiempo. Y eso podría haber sido bueno. Para que ser un gran éxito no tiene que durar siempre.

¿La solución? No pensar que ninguna de ellas puede ser la panacea.

Cuando pensamos que algo puede ser la solución de todo, pasamos por alto sus puntos débiles y sus efectos negativos y, al final, cuando los defectos inherentes salen a la luz, perdemos toda la fe en la solución. No tenemos en cuenta el valor que puede haber proporcionado porque nunca cumplió nuestras expectativas, nunca funcionó *completamente*. Y luego salimos a buscar la nueva solución mágica.

Nuestro anhelo por *la* solución, la fórmula que resolverá todos nuestros problemas, la panacea de nuestra angustia es persistente. Pero también es una equivocación porque no existe nada perfecto y nada dura para siempre. Así que es mejor considerar toda solución como algo temporal, y cada herramienta como potencialmente valiosa y probablemente efímera. Esto es cierto ya se trate de un cambio personal (como una nueva dieta) o empresarial (como una nueva herramienta de gestión, una nueva estructura organizativa o un nuevo programa de expansión).

Considerar cada solución como temporal tiene beneficios sorprendentes:

- Es más fácil comprometerse con ella. Si sabemos que no es perfecta y no es para siempre, ¿por qué no darle una oportunidad?

- Es más fácil (y rápida) de aplicar. Si sabemos que la iniciativa no es para siempre, no intentaremos que sea perfecta. Intentaremos que funcione.

- Es más fácil hacer que los demás se involucren. Si reconocemos que una solución es imperfecta y no está depurada del todo, es más probable que los demás participen para mejorarla, lo cual les da un sentido de responsabilidad.

- Es más fácil de pagar. Si no la vamos a llevar a la perfección, si no va a durar para siempre, no hace falta invertir una gran cantidad de dinero.

- Es más fácil prescindir de ella llegado el momento. Si no hemos invertido una gran cantidad de dinero, o de esfuerzo personal, en la solución, dedicaremos mucho menos tiempo publicitando lo buena que es y no nos aferraremos a ella cuando ya no añada valor. La certidumbre, cuando contradice las pruebas, nunca es buena.

Estos cinco efectos secundarios de pensar que algo no es para siempre aumentan drásticamente la posibilidad de que hagas algo en lugar de solo pensar, hablar, planificar y discutir sobre hacer algo.

Nosotros cambiamos. Las situaciones cambian. Los que nos rodean cambian. Y las herramientas que usamos también deberían cambiar.

A continuación, te propongo unas pocas líneas maestras:

- Diferencia el compromiso con un resultado —como casarse, no beber, vivir saludablemente, tener beneficios en la empresa— con el compromiso con las herramientas que utilizas para lograr ese resultado. Las herramientas pueden ser transitorias, mientras que el resultado puede ser permanente.

- Comprende cuál es el valor que ganas y por qué. Luego, con las pruebas en la mano, ratifica que sigue proveyendo ese valor. Así sabrás cuándo tienes que pasar a otra cosa.

- Decide cuándo vas a volver a considerar la solución. No ayuda dudar constantemente de ti mismo, porque entonces es imposible implicarse. Te rendirás en un momento de debilidad para luego arrepentirte. En lugar de esto, decide cuándo vas a volver a considerarla y comprométete completamente hasta ese momento.

4 segundos está lleno de ideas, estrategias y tácticas que te pueden ayudar a tomar decisiones más inteligentes —y llevar a cabo acciones más efectivas— en un momento dado. Algunas de ellas te pueden funcionar ahora. Otras, tal vez más adelante. Sé flexible y pon en práctica lo que te funciona y hasta que te funcione. Cuando deje de ser efectivo, ojea de nuevo *4 segundos* y deja que alguna otra idea te llame la atención. Recuerda respirar hondo, calmarte y tomar un decisión determinada que te lleve allí donde quieres ir.

Cuando decidí dejar de comer carne y lácteos, me sentía atiborrado. Me quería sentir de nuevo limpio, y la dieta vegana me ayuda con ello. También sé que cuando me siento abrumado y fuera de control, hago todo aquello que puedo para recuperar la calma, como cortarme el pelo o restringir mi dieta. Es un mecanismo para lidiar con mis problemas que me ayuda a sentirme más ligero con el resto de las cuestiones que abruman mi vida. Cuando retomo el control, es muy posible que cambie de nuevo de dieta.

También es bueno recordar que no comprometerse para siempre no significa que todo lo que vivas será efímero. «Algunas cosas, como mis elecciones dietéticas, son transitorias», les dije a mis compañeros de clase al final de la cena. «Aceptadlas. No tenéis que comer lo mismo que yo, y es probable que la próxima vez que nos veamos haya vuelto a cambiar.»

«Pero no os preocupéis», añadí. «Otras cosas, como la tradición que tenemos con nuestras cenas, durarán siempre.»

Agradecimientos

Cuando estás solo pulsando teclas, mirando una pantalla, viendo cómo las palabras aparecen con una letra tras otra, poco a poco formando frases, parágrafos, páginas y, finalmente, capítulos, es fácil caer en la ilusión de que eres el único creador de lo que haces.

Pero no suele ser así.

Sin la influencia, el apoyo y el trabajo de muchísimas personas este libro no estaría en tus manos.

Es cierto, yo escribí este libro. Pero Genoveva Llosa y su equipo en HarperOne hicieron una labor maravillosa depurándolo, disponiendo sus partes y editándolo. Gracias, Genoveva, por creer en mí, por el entusiasmo que has puesto en este libro, por tu visión de lo que podría ser y por tu ímpetu incansable para hacerlo mejor. Es un placer trabajar contigo y me encanta la forma que le has dado. Y el título es todo un descubrimiento, Hannah.

Y, aunque escribir un libro es un gran reto, venderlo es otro. Jim Levine y su equipo de la agencia literaria Levine Greenberg Rostan han conseguido venderlo y mucho más. Gracias, Jim, por ser tan reflexivo, por apoyarme tanto, por tu compromiso conmigo y con mi escritura. Eres un socio maravilloso, inteligente, ponderado, presente y atento. Es maravilloso trabajar contigo.

Cada capítulo precisa de muchas revisiones y ediciones, y hay muchas personas que mejoran mi trabajo incluso antes de que sea público.

Doy gracias de corazón a Katherine Bell, mi editora en la *Harvard Business Review*, que ha estado editando —y dando forma— a mi escritura durante muchos años. Eres una editora fantástica, Katherine, y agradezco enormemente tu apoyo a mis ideas y mi voz.

Este libro representa la culminación de años escribiendo. Y estos años son la culminación de otros muchos de experiencias y lecciones de personas muy especiales que me recuerdan, cada día, lo que significa que te amen, que te apoyen, que te exijan y que te enseñen.

Emily Cohen, tienes más que un buen ojo para la escritura: eres como la Estrella Polar para mí, y gracias a ti recuerdo en qué es importante centrarse y qué es mejor dejar de lado. Gracias, Em, por creer en mí y por tus ganas de poner todo lo que eres y todo lo que tienes en nuestro trabajo juntos. Te estoy tan agradecido... He elegido a la buena.

Jessica Gelson, gracias por tu amor y apoyo, que espero que sientas de vuelta, y que me ayuda a creer en mí cada día. No puedo expresarte lo importante que es tu amistad para mí, pero sé que lo sientes. La forma que tienes de vivir la vida y la valentía que muestras en tus compromisos con las personas son un ejemplo indeleble para mí. Tienes un corazón enorme. Gracias, Jess, por ser tan fuerte y cariñosa.

También, Jess, te agradezco que me presentaras a Ann Bradney, después de mucho insistir. Ann, me has cambiado la vida. Escucho, hablo e incluso camino de forma diferente después de trabajar contigo. De ti he aprendido la importancia de la valentía emocional, y sigo aprendiendo mucho de tu ejemplo y tus enseñanzas. Gracias, Ann, por trabajar incansablemente para ayudarme a crear el mundo en el que quiero vivir.

También estoy profundamente impresionado por las personas con las que trabajo, algunas solo por un corto periodo de tiempo (un curso de fin de semana en Kripalu, o una persona que conocí en una conferencia que di), otras durante más tiempo (cada una de las que han asistido el Bregman Leadership Intensive), y otras durante años (los clientes y los compañeros con los que trabajo). Cada una de estas relaciones me ha influido mucho. No doy ninguna de ellas por descontada, y os agradezco a todos que hayáis creído lo bastante en mí para que profundizara en mi trabajo. Gracias.

Y gracias a todos los que leéis mi blog y mis libros, a quienes se toman el tiempo de escribirme un correo electrónico o una reseña: no me tomo nada de esto a la ligera, y valoro muchísimo que lo que escribo, y hago, importa. Es lo que me da la energía para seguir haciéndolo.

Por último, y sin duda no lo menos importante, estoy tan, tan agradecido a mi familia... Mis padres, a quienes les he dedicado el libro, me han enseñado muchísimo. Gracias, mamá y papá, por tener una fe tan profunda en mí. Vuestra confianza me da el valor de asumir el tipo de riesgos que me hacen estar vivo, feliz, orgulloso. Gran parte de todo esto os lo debo a vosotros.

Isabelle, Sophia y Daniel, aprendo de vosotros cada día. Isabelle, me emociona la profundidad de tus sentimientos y cómo vives tan genuinamente tu vida. Tu consideración, tu sinceridad, tu sensibilidad y tu valentía son inspiradoras. Me esfuerzo por ser tan real como tú. Sophia, es un placer tenerte alrededor. Tu risa me da una gran felicidad y me conmueve sobremanera tu amabilidad. Siempre miras el lado bueno de las personas y de las situaciones, y tu generosidad es un modelo para mí. Daniel, tu implicación salvaje y entusiasmada con el mundo me da energía. Solo verte —peleándote con almohadas, tirándote del muelle, incluso leyendo un libro— me hace sonreír. Y vuestra curiosidad y ganas de comprender el mundo que nos rodea me ayuda a entenderlo mejor. Los tres vivís la vida completamente. Estoy agradecido por todo en vosotros, incluso cuando cambia porque crecéis y tenéis más experiencia. Me siento tan privilegiado porque me dediquéis atenciones, tan agradecido cada vez que jugamos, leemos, nos bañamos, esquiamos, montamos en bici, comemos o, sencillamente, estamos juntos...

Y, Eleanor, mi amor, cualquier cosa que escriba nunca será suficiente. Estoy más allá del agradecimiento por estar contigo, por como
confías en mí hasta compartir tu yo más profundo, lo que me hace
compartir contigo mi yo más profundo. Y lo más importante: por el
cariño y el amor con el que tomas mi alma.

Notas

1. La investigación se basa en el conocido experimento de la nube de algodón que Walter Mischel, un profesor de la Universidad de Stanford, llevó a cabo con niños de cuatro años: www.ocf.berkeley.edu/~ rascl/ asets/pdfs/Berman%20et%20al.,%20Nature%20Communications%20 2013.pdf. Véase también I. M. Eigsti, et al., «Predicting cognitive control from presschool to late adolescence and Young adulthood», *Psychological Science* 17 (2006): 478-84; W. Mischel, et al., «Willpower over the life span: decomposing self-regulation.» *Social Cognitive and Affective Neuroscience* 6 (2011): 252-56; W. Mischel, Y. Shoda, y M. L. Rodríguez, «Delay of gratification in children», *Science* 244 (1989): 933-38; y Y. Shoda, W. Mischel y P. K. Peake, «Predicting adolescent cognitive and selfregulatory competences from preschool delay of gratification-identifying diagnostic conditions», *Developement Psychology* 26 (1990): 978-86.

2. Lisa D. Ordóñez, Maurice E. Schweitzer, Adam D. Galinsky y Max H. Bazerman, «Goals Gone Wild: The Systematic Side Effects of Over-Prescribing Goal Setting» (working paper, Harvard Business School Working Knowledge, February 11, 2009), http://hbswk.hbs.esu/item/66114.html.

3. Alisa Tugend, «Experts» Advice to the Goal-Oriented: Don't Over Do It», *New York Times*, 5 de octubre, 2012, www.nytimes.com/2012710/06/ your-money/the-perils-of-setting-goals.html?_r=0.

4.   Lesley Alderman, «Money Tips for When the Sniffles Start», *New York Times*, 1 de enero, 2010, www.nytimes.com/20120/01/02/health/patient. html.

5.   Rossana Weitekamp y Barbara Pruitt, «Numer of New Companies Created Annually Remains Remarlaby Constant Across Time, According to Kauffman Foundation Study», Fundación Kauffman, 12 de enero, 2010, www.archive-org.com/page/Numer-New-Companies-Created-Annually-Remains-Remarkably-Constant-Across-Time-1184493.htm.

6.   «Louis C. K. interview 2000», entrevista realizada por Conan O'Brien, *Late Night Show with Conan O'Brien*, NBC, 28 de noviembre, 2000, vídeo colgado en el canal lalarirkyu de YouTube, 10 de abril de 2009, www.youtube.com/watch?v=gRIvJhTk_Y.

7.   Fast Company Staff, «The 10 Most Creative People in Business 2011», *Fast Company*, 18 de mayo de 2011, www.fastcompany.com/3018427/most-creative-people-2011/21-chris.cox.

8.   W. Dunn, L. B. Aknin y M. I. Norton, «Spending Money on Other Promotes Happines», *Science* 319 (2008): 1687-88.

9.   Del Jones, «Best Friends Good for Business», *USA Today*, 1 de diciembre, 2004, 1B. http://usatoday30.usatoday.com/educate/college/careers/hottopic31.htm.

10. «Close High-School Friendship Point to Higher Wages», *The Daily Stat* (blog), *Harvard Business Review*, 25 de junio, 2010, http://web.hbr.org/email/archive/dailystat.php?date=062510.

11. Don Steinberg, «The State of Our Football Is Strong 44 Presidents, XLIV Games. One Strange Idea.» *The Philadelphia Inquirer*, 5 de febrero de 2010, http://articles.philly.com/2010-02-05/news/252118548_1_presidents-super-bowl-xxvi-barck-obama.

12. Paul Davidson, «More American Workers Sue Employers for Overtime Pay», *USA Today*, 19 de abril, 2102, http://usatoday30.usatoday.com/money/jobcenter/workplace/story/2012-04-15/workers-sue-unpaid-overtime/54301774/1.

13. Leann Lipps Birch, «Effects o Peer Models' Food Choices and Eating Behaviors on Preschooler's Food Preferences», *Child Development*, 51 (1980): 489-96.